A'r Môr-leidr

Wil y Poenwr Penigamp

A'r Môr-leidr

Georgia Pritchett

Lluniau gan
JAMIE LITTLER

Addasiad
STEFFAN ALUN

Gomer

Argraffwyd gyntaf ym Mhrydain yn 2015 gan
Quercus Publishing Ltd
Carmelite House
50 Victoria Embankment
London EC4Y 0DZ
Cwmni Hachette UK

Argraffwyd gyntaf yn Gymraeg yn 2018 gan
Wasg Gomer, Llandysul, Ceredigion SA44 4JL
www.gomer.co.uk

Dymuna'r cyhoeddwyr gydnabod cymorth ariannol
Cyngor Llyfrau Cymru.

ISBN 978 1 84851 990 9

Argraffwyd a rhwymwyd yng Nghymru gan
Wasg Gomer, Llandysul, Ceredigion.

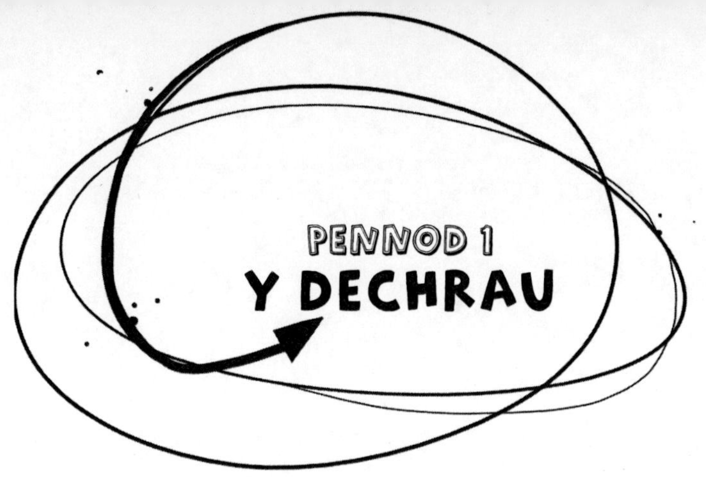

PENNOD 1
Y DECHRAU

Oi!

Beth wyt ti'n feddwl wyt ti'n wneud?

Caea'r llyfr yma a rho fe 'nôl ar y silff ar unwaith. **Caea fe**, ddywedais i. Iawn, dwi'n mynd i gyfri i ddeg

Un, dau, tri, pedwar pump, chwech . . .

Dwi o ddifri.

Saith, wyth . . .

Wna i ddim ei ddweud e eto . . .

Naw . . .

Iawn, mi wna i ei ddweud unwaith eto. Caea'r llyfr . . .

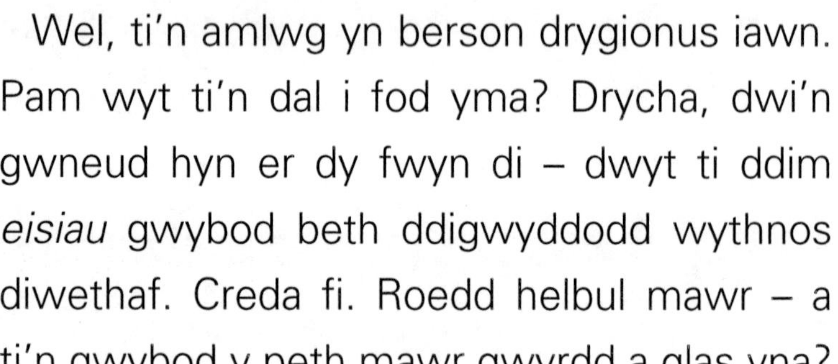

Wel, ti'n amlwg yn berson drygionus iawn. Pam wyt ti'n dal i fod yma? Drycha, dwi'n gwneud hyn er dy fwyn di – dwyt ti ddim *eisiau* gwybod beth ddigwyddodd wythnos diwethaf. Creda fi. Roedd helbul mawr – a ti'n gwybod y peth mawr gwyrdd a glas yna?

le, y byd, yr hen fyd enfawr yna – daeth e bron i ben. Felly, gwranda arna i a stopia ddarllen. Dwi o ddifri. **STOPIA ddarllen**.

Stopia!

Iawn, wel, paid â dweud na wnes i dy rybuddio di. Os wyt ti'n mynnu darllen yr hanes, paid â chwyno pan fyddi di'n darganfod bod y llyfr yn llawn bwystfilod môr a môr-ladron a phobl â phethau pigog, miniog a'r dyn gwaethaf, gwaethaf, gwigli gwogli gwaethaf yn y byd i gyd yn grwn – Alun. A'i gynorthwyydd ffyddlon, Kevin Phillips.

Felly. Ti'n gwybod y bachgen yna yn yr ysgol? Wil. Wyt, mi wwwwwwwwwyt ti. Wyt, mi wyt ti. Yr un â'r gwallt blêr a'r clustiau mawr ac ymennydd llawn syniadau fel pe bai'n badell yn llawn popcorn yn popio. Wel, fe lwyddodd i achub y byd. **Eto.**

Rhaid cyfaddef nad yw Wil yn arwr arferol. Nid Siwper Wil yw ei enw. Nid yw'n gallu dringo adeiladau. A does dim pry copyn erioed wedi'i gnoi, DIOLCH BYTH, gan fod ofn pryfed cop ar Wil. Felly pe bai un yn ei gnoi, fyddai dim amser ganddo i droi'n Spider-Man, gan y byddai'n rhy brysur yn llewygu.

Mewn gwirionedd, mae ofn llawer o bethau ar Wil:

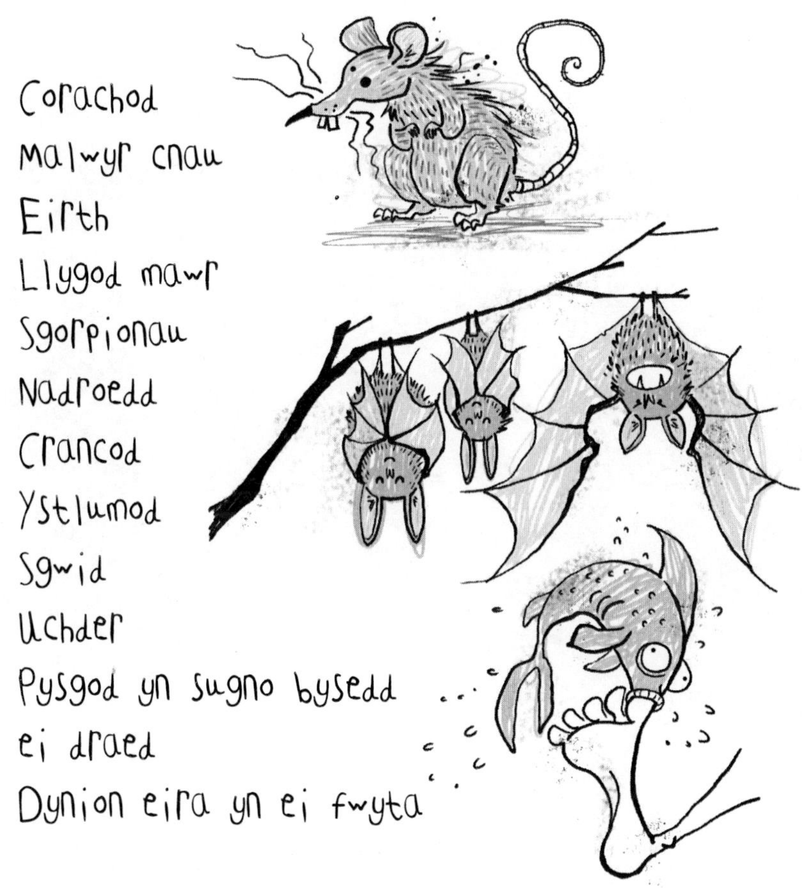

Mae gan Wil chwaer fach o'r enw Dot. Er ei bod hi'n fach, mae hi'n drewi mwy nag unrhyw oedolyn. Mae ganddi fochyn â chlustiau od. Hynny yw, maen nhw'n od gan eu bod nhw'n wahanol i'w gilydd, ond wedi meddwl, maen nhw'n od beth bynnag. Felly mae gan y mochyn glustiau od od. Bydd rhai ohonoch chi'n gwybod pam fod clustiau od gan Mochyn – ac os felly, da iawn chi – ond fydd dim syniad gan rai ohonoch chi – ac os felly, dim ond chi sydd ar fai.

Ta waeth, mae un glust yn fudr a'r glust arall (a gweddill Mochyn) yn gwbl fochaidd. Dyna sut gallwch chi ddweud p'un yw'r glust newydd.

Wythnos diwethaf, daeth rhywbeth yn y post i Wil. Taflen newydd **'Sut i Stopio Poeni'** oedd hi. Roedd Wil yn falch pan gyrhaeddodd gan ei fod wedi bod yn poeni fod ei daflen newydd **'Sut i Stopio Poeni'** wedi mynd ar goll yn y post, ac yna fyddai e byth yn gallu stopio poeni am sut i stopio poeni. Ond daeth y daflen, yn sgleiniog ac yn newydd ac yn arogli'n sgleiniog a newydd.

Agorodd yr amlen yn ofalus, gan boeni y byddai'n rhwygo'r daflen **'Sut i Stopio Poeni'** pe bai'n gwneud hynny'n rhy gyflym.

Cerddodd ei fam heibio, a'i weld e'n arogli ei daflen newydd, ac meddai, 'Fyddi di byth yn stopio poeni. Mae poeni'n rhan o'r teulu ers oes. Roedd fy nhad yn boenwr, roedd ei dad e'n boenwr, ac roedd tad ei dad yn boenwr. Ry'n ni wedi bod yn poeni ers cenedlaethau.'

Rhoddodd hyn syniad i Wil. Gallai edrych ar siart ei deulu a gweld yr holl boenwyr oedd yn perthyn iddo. Cyn gynted ag y cafodd y syniad, aeth at ei gyfrifiadur (gan stopio i sychu'r sgrin, hwfro'r briwsion o'i fysellfwrdd a diheintio'r llygoden).

Wedi iddo argraffu'r cyfan, aeth â'r siart mas i'r ardd i'w dangos i Dot.

'Edrycha, Dot,' meddai, gan osod y papur yn ofalus ar y llawr a'i ddal i lawr â cherrig. 'Ry'n ni'n perthyn i **Bedwyr y Becswr**. Fe ddyfeisiodd y fest gan ei fod yn poeni y byddai pobl yn dal annwyd.'

Cododd Dot un o'r cerrig a cheisio'i stwffio i fyny ei thrwyn.

'Ac ry'n ni hefyd yn perthyn i **Beti Bryderus**,' meddai Wil. 'Hi ddyfeisiodd sebon gwrthfacteria gan ei bod hi'n poeni am germau.'

Rhoddodd Dot un o'r cerrig yn ei chewyn.

'A'n hen hen hen dad-cu ni, **Norman Niwrotig**, wnaeth yr arwydd "Gwyliwch y Gris" cynta gan ei fod yn poeni y byddai pobl yn baglu wrth fynd i mewn i'w dŷ,' meddai Wil.

Tynnodd Dot un o'i sanau a sychu ei thrwyn â hi.

'Ac o fynd yn bellach 'nôl,' ychwanegodd Wil, 'mae tystiolaeth ein bod ni'n perthyn i'r dyn ogof oedd yn byw drws nesaf i'r dyn ogof a ddyfeisiodd yr olwyn. Ein cyndad ddyfeisiodd y brêc,' esboniodd Wil yn falch. 'Beth wyt ti'n feddwl o hynny?'

Cnodd Dot yn feddylgar ar gornel y dudalen,

WIL (Y POEN
PENIGA
BEDWYR Y BECSWR
BETI BRYDERUS
NORMAN NIWROTIG

ac yna gwasgodd a sgrwnsiodd yr holl beth yn bêl, a'i daflu dros ei hysgwydd.

Glaniodd y bêl bapur oedd wedi'i gwasgu yng ngardd Alun. A dyna pryd ddechreuodd yr **holl helbul**.

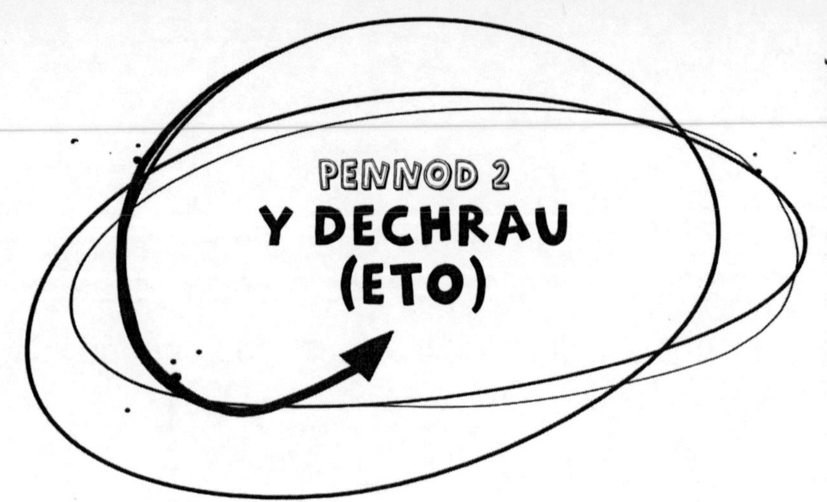

PENNOD 2
Y DECHRAU (ETO)

'Mae pêl o bapur wedi'i sgrwnsio ar fy lawnt!!!' sgrechiodd Alun. 'Gwnewch rywbeth, rywwwwwun!'

Trodd Kevin Phillips ei ben i'r ochr ac astudio'r bêl bapur. Ddywedodd e ddim byd.

'Coda'r bêl bapur yna!' gorchmynnodd Alun.

Trodd Kevin Phillips a cherdded i ffwrdd fel pe bai pethau pwysicach ganddo i feddwl amdanynt.

'Ti i fod i fod yn gynorthwyydd i mi, ac mae hynny'n golygu gwneud pethau fel codi peli papur wedi'u sgrwnsio!' gwaeddodd Alun ar ôl Kevin Phillips.

Ochneidiodd Alun.

Aeth i godi'r bêl bapur ac aeth â hi i'r tŷ i'w ddangos i'w wraig, Pam.

Pam, drycha ar hwn,' meddai Alun.

Roedd Pam yn gwylio teledu realaeth.

'Drycha, mae'n edrych fel rhyw fath o siart deulu,' meddai Alun, gan agor y papur.

Ddywedodd Pam ddim byd.

'Tybed sut siart deulu sydd gen i,' meddyliodd Alun.

'Shh. Dwi'n gwylio teledu realaeth,' meddai Pam.

'Wel, alli di stopio gwylio teledu realaeth a gwylio realiti go iawn?' gofynnodd Alun.

Ochneidiodd Pam a throi i edrych ar Alun.

'Dwi'n credu 'mod i'n mynd i ymchwilio i hanes fy nheulu,' meddai Alun.

'O, mae rhaglen deledu lle mae selébs yn gwneud hynny,' meddai Pam.

'Oes, ond dwi'n mynd i wneud hynny. I fi,' meddai Alun.

Cododd Pam ei ffôn. 'Beth yw'r rhif ffôn?'

'Pa rif ffôn?' gofynnodd Alun, wedi drysu.

'Lle galla i bleidleisio i ti adael?' gofynnodd Pam.

'Pleidleisio i mi adael? Alli di ddim

pleidleisio i fi adael. Dwi yma. Dwi'n byw yma. Alli di ddim pleidleisio i mi adael!!!' meddai, a stompiodd i lawr y grisiau i'r pencadlys dieflig.

Treuliodd Alun yr oriau nesaf yn ymchwilio i hanes ei deulu.

Darganfu Alun fod bod yn ddrwg iawn iawn yn rhedeg yn y teulu.

Ei hen hen dad-cu ddyfeisiodd ddeintyddiaeth, gan beri tristwch difrifol i bobl di-ri ym mhob rhan o'r byd.

Ei hen hen hen dad-cu ddyfeisiodd yr ysgol, gan ddifetha plentyndod pob plentyn a fuodd erioed.

Ei hen hen hen hen dad-cu ddyfeisiodd frocoli, gan ddifetha prydau bwyd ysgol pob disgybl.

A'i hen hen hen hen hen dad-cu oedd y Barwn Alun, y môr-leidr mwyaf mileinig ar y moroedd mawr. Roedd yn dychryn pawb wnaeth gwrdd ag e erioed. A phobl oedd ddim wedi cwrdd ag e, ond oedd wedi clywed amdano. A hyd yn oed rai pobl nad oedd wedi clywed amdano.

Ochneidiodd Alun. Roedd yn dymuno bod fel y Barwn Alun, gyda phawb yn ei ofni a'i barchu. Y cyfan roedd wedi llwyddo i'w wneud oedd llosgi aeliau rhai pobl a gwario'i holl arian ar y

Gwn Mawr Betingalw

a oedd wedi helpu i fethu dinistrio'r byd

(fel weli di os wnei di ddarllen llyfr *Wil y Poenwr Penigamp yn Achub y Byd*).

Aeth Alun i'r ardd.

'Kevin!' gwaeddodd. 'Kevin?' gwaeddodd yn uwch.

'Ble mae fy nghynorthwyydd?' gofynnodd Alun.

'Gwelodd wiwer a rhedodd ar ei hôl,' meddai Wil, oedd yn gwthio Dot ar ei siglen.

'Ci bach,' cytunodd Dot.

Shh!' meddai Wil. 'Dyw Kevin Phillips ddim yn gwybod taw ci yw e. Mae'n credu ei fod e'n un o'r teulu.'

'Ci bach wwff wwff,' meddai Dot.

'Shh,' meddai Wil.

'CI BACH WWFF WWFF,' meddai Dot, yn llawer uwch.

'Os byddi di'n gweld Kevin,' meddai Alun, gan geisio anwybyddu Dot, oedd yn beth anodd i'w wneud achos ...

'CI BACH WWFF WWFF.'

Roedd hi'n gweiddi **'CI BACH WWFF WWFF'** bob tro roedd hi'n agor ei cheg i **CI BACH WWFF WWFF'** dweud unrhyw beth.

'Alli di ddweud wrtho fod ei angen arna i,' meddai Alun ...

'CI BACH WWFF WWFF.'

'... gan fod cynllun gen i?'

'Ydy e'n gynllun hyfryd ... i sgipio rownd yr ardd neu gasglu blodau neu dostio malws melys?' gofynnodd Wil yn obeithiol.

'Nage. Cynllun dieflig yw e,' meddai Alun.

'Ie, ro'n i'n meddwl y byddech chi'n dweud hynny,' meddai Wil yn ddigalon.

'Dwi'n mynd i fod yn fôr-leidr. Ac nid unrhyw fôr-leidr chwaith, ond y môr-leidr mwyaf brawychus yn y byd.'

'Ond byddwch chi angen cwch i fod yn fôr-leidr,' mynnodd Wil. 'A pharot. A phatsyn llygad.'

'Bydd, bydd, dwi'n gwybod hynny,' meddai Alun yn grac. 'Ond dwêd e eto er mwyn i mi ei ysgrifennu.'

'Cwch a pharot a phatsyn llygad,' meddai Wil eto.

'Bydd, *yn amlwg*,' meddai Alun. 'Fe fydda i'n cael y pethau hynny fory. Ac yna fi fydd y môr-leidr gwaethaf, gwaethaf, gwigli gwogli gwaethaf yn y byd-i-wyd i gyd yn grwn.'

Ac yna dechreuodd yr

holl helbul.

'CI BACH WWFF WWFF.'

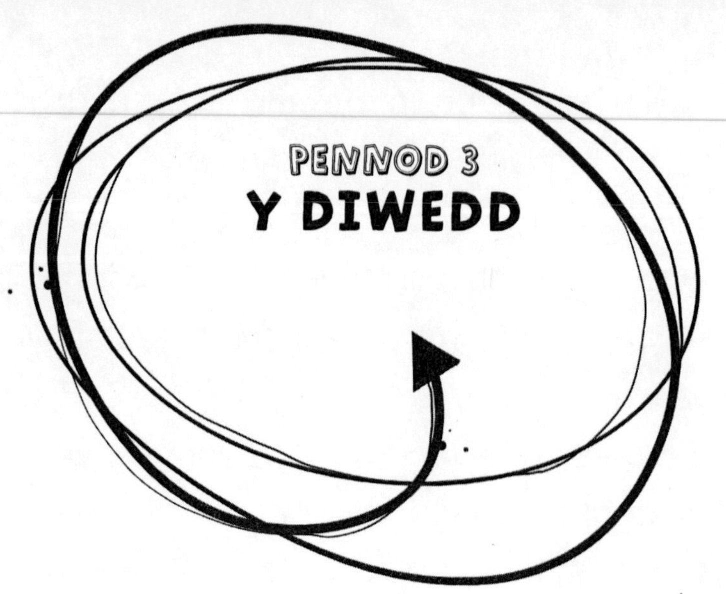

PENNOD 3

Y DIWEDD

Roedd y diwrnod nesaf yn – o, dwn i ddim, mae disgrifio pethau'n waith blinedig. Penderfyna di. Heulog? Glawog? Beth bynnag ti'n ei feddwl. Do'n i ddim wir yn talu sylw.

Yn ffodus, roedd *rhywun* yn talu sylw. Wil. Roedd Wil wedi mynd â Stiwart i redeg yn yr ardd. Stiwart yw pry lludw anwes Wil. Ond fe yw ei ffrind gorau hefyd, a'r person y mae Wil yn rhannu ei holl gyfrinachau â fe. Mae Wil

yn caru Stiwart – pob un o'i ddeg milimetr. Mae'n caru pob un o'i bedair coes ar ddeg. A phob rhan fach sgleiniog o'i gorff. Ac mae Stiwart yn caru Wil, o dop ei wallt blêr, heibio'i glustiau mawr, heibio'i bengliniau cnociog i lawr i fysedd coslyd ei draed.

Y rheswm arall pam roedd Wil yn yr ardd oedd gan ei fod yn poeni. Wel, does dim byd newydd am hynny, ond roedd yn poeni'n **DDIFRIFOL** am beth ddywedodd Alun am y busnes môr-leidr. Roedd wedi ceisio gwau i wneud iddo stopio poeni, ond doedd hynny ddim wedi gweithio. Roedd wedi ceisio chwibanu tiwn hir a chymhleth iawn, ond roedd yn dal i boeni pan orffennodd y diwn. Felly daeth mas i'r ardd i geisio gadw llygad ar Alun.

Roedd Wil a Stiwart yn ymarfer hercio, ac wrth ymarfer roedden nhw'n ceisio gweld dros y ffens.

Mae Stiwart yn fach iawn, felly welodd e ddim byd o gwbl, ond pan wnaeth Wil herc enfawr gallai weld rhwng yr hercian ...

fod rhywbeth

Herc

Rhywbeth mawr

Herc

wedi cyrraedd

Herc

gardd Alun.

Herc

Bocs pren

Herc

enfawr oedd e

Herc

a'r geiriau

Herc

'Y ffordd yma i fyny'

Herc

arno

Herc

a llun

Herc

llong fôr-ladron.

O na. Roedd Wil wedi'i syfrdanu. Teimlai'n sigledig a simsan. Roedd ei wddf yn dwym. Ac roedd ei bengliniau'n teimlo fel petaen nhw am blygu'r ffordd anghywir. Beth oedd e'n mynd i'w wneud? Roedd eisiau troi'n bêl fel Stiwart ac roedd am wau het wlân fawr iddo'i hun i guddio'i lygaid er mwyn osgoi gweld beth fyddai'n digwydd nesaf.

Ond wnaeth e ddim o'r pethau hyn. Roedd yn poeni'n arw ac yna meddyliodd yn ddwys ac yna meddyliodd mor galed nes bod rhaid i'w ymennydd orffwyso am ychydig.

Ac yna cafodd syniad.

I ddechrau, byddai'n newid ei bants. Os oedd 'na adeg erioed pryd y dylai Wil wisgo'i bants gwyrdd lwcus, hon oedd hi. Yna byddai'n mynd drws nesaf i geisio darganfod ffordd o stopio Alun rhag adeiladu llong fôr-ladron. Yr unig broblem oedd fod Wil wedi sylwi wrth iddo hercian fod Alun hefyd wedi prynu corrach i'r ardd. Roedd ofn corachod ar Wil. Roedd e'n poeni y bydden nhw'n dod yn fyw ac yn cnoi ei bengliniau.

Aeth Wil i'w ystafell wely a chasglu ei focs esgidiau o bethau gwerthfawr. Ynddo roedd ei daflen newydd **'Sut i Stopio Poeni'**. Roedd deg awgrym ynddi am bethau allai helpu. Edrychodd Wil ar **RIF UN.**

1. Tynnwch lun o'r hyn sy'n eich poeni.

Tynnodd Wil lun o'r corrach.

2. Meddyliwch am y sefyllfa waethaf bosib.
Ceisiodd Wil feddwl am rywbeth fyddai'n waeth na chorrach yn cnoi ei bengliniau. Pe bai'r corrach yn gafael mewn malwr cnau i falu cnau – byddai hynny'n waeth. Roedd ofn malwyr cnau ar Wil, ac roedd yn gas ganddo sŵn cnau'n malu, gan ei fod yn gwneud i'w lygaid deimlo'n sgrynsiog ac yn gwneud i'w

ddannedd deimlo'n sssssssssssssssimsan mewn ffordd ych-a-fi.

3. Gwnewch ddatganiadau cadarnhaol.

Roedd hynny'n golygu dweud pethau cadarnhaol amdanoch chi eich hun yn uchel yn y drych. Roedd enghreifftiau yn y daflen. Rhoddodd Wil gynnig ar un o'r rhain.

'Rwy'n fenyw brydferth annibynnol ac rwy'n haeddu cael fy ngharu,' meddai. Doedd hynny ddim yn swnio'n iawn.

Chwiliodd am un arall.

'Rwy'n ddyn aeddfed a llwyddiannus ac mae fy mywyd yn antur wyrthiol.'

Doedd hynny ddim yn swnio'n iawn chwaith.

Roedd Wil yn teimlo'n isel. Doedd e ddim yn fenyw brydferth, nac yn ddyn llwyddiannus; bachgen bach oedd e, ac roedd corrach ar fin cnoi ei bengliniau. Ac roedd yn rhaid iddo wneud rhywbeth am y peth ar unwaith, neu fyddai fe byth yn tyfu i fod yn fenyw brydferth nac yn ddyn llwyddiannus nac yn *unrhyw beth*.

Casglodd Wil ei fag a phacio padiau pen-glin i amddiffyn ei bengliniau, magnet i dynnu'r malwr cnau a bag plastig mawr i roi'r corrach ynddo. Yna rhoddodd gusan ffarwél i Stiwart a Dot a dringodd dros y ffens.

Glaniodd Wil yng ngardd Alun a chuddio tu ôl i hwyaden. Hwyaden ffug, ti'n deall, nid un go

iawn. Ac yna cafodd olwg. Golwg go iawn, nid un ffug. Llygadodd Wil y corrach. Llygadodd y corrach Wil yn ôl. Yn y cyfamser, roedd Alun wedi agor y bocs mawr ac roedd yn sefyll yn astudio'r cyfarwyddiadau ac yn crafu ei ben.

'Rhowch y planc A yn slot B,' meddai Alun.

Crafodd Kevin Phillips ei glust ac arogli ei bawen yn betrus.

'Dyma'r math o waith mae angen robot i'w wneud,' meddai Alun.

Aeth at ddrws ei dŷ a gweiddi, 'Marc III? Marc III? Marc III?'

Dim ateb.

Yna defnyddiodd Alun enw llawn Marc III, i ddangos ei fod yn dechrau gwylltio.

'LRCh2FL309fersiwn8.4marcIII!'

Eiliadau'n ddiweddarach, galymffiodd robot tal, hir i lawr y grisiau.

'Beth?' gofynnodd yn biwis.

'Mae angen help arna i,' esboniodd Alun.

'Dwi'n brysur,' meddai Marc III.

'Yn gwneud beth?' gofynnodd Alun.

'Chwarae gêm gyfrifiadur. A phaid â dweud wrtha i am stopio – dim ond am bump awr dwi wedi bod yn chwarae, a dwi bron â churo fy sgôr uchaf.'

'Pwynt robot,' meddai Alun, 'yw gwneud pethau'n gyflym, yn effeithlon ac yn dawel.'

'Ie, wel, wnes i ddim gofyn am gael fy

nyfeisio,' cwynodd Marc III, a stompiodd tuag at y tŷ, gan faglu dros y corrach yn ddamweiniol.

Torrodd y corrach yn gant o ddarnau bach.

'Fy nghorrach!' sgrechiodd Alun.

'Sori,' meddai Marc III, a stompiodd hithau'n ôl lan y grisiau i'w hystafell wely.

Gwnaeth Wil ddawns lawen dawel. Roedd y corrach wedi mynd. Daeth bywyd y twpsyn barfog seramig i ben! Roedd pengliniau Wil yn ddiogel! Roedd y robot wedi gwneud ei waith iddo. Felly, y cyfan roedd yn rhaid i Wil ei wneud oedd meddwl am ffordd o stopio Alun rhag adeiladu ei long fôr-ladron.

Ochneidiodd Kevin Phillips, ac edrych ar Alun.

'Dwi'n gwybod, dwi'n gwybod,' meddai Alun, 'mae hi'n mynd drwy gyfnod anodd. Un diwrnod, daw hi drwyddi. Efallai fod angen i mi wneud ambell newid.'

Tisianodd Kevin Phillips yn swnllyd.

'Iawn, ti a fi, felly,' meddai Alun. 'Planc A, planc A – iawn, 'sdim planc A i'w gael, ond mae dau blanc C 'da ni, felly efallai y dylwn i stwffio un o'r rheina yn slot B. Dyw e ddim yn ffitio. Iawn.'

Ceisiodd Alun gamu lan a lawr i'w helpu i feddwl, ond roedd Kevin Phillips yn ffit-ffatio o gwmpas ac yn rhedeg rownd a rownd traed Alun ac yn ei faglu.

Yn sydyn, cafodd Wil syniad arall. Doedd dim angen y bag a'r magnet ar gyfer y corrach malu cnau dieflig bellach. Gallai eu defnyddio ar gyfer rhywbeth arall. Gwisgodd ei badiau pengliniau, a thra oedd Alun a Kevin Phillips yn trafod planciau, aeth yn dawel bach ar ei bedwar i mewn i'r bocs. Arhosodd am eiliad, mor dawel ag oren. Yna gafaelodd yn ei fagnet yn ofalus a'i godi nes bod pob un bollt, nyten a sgriw ar gyfer adeiladu'r llong yn sownd wrtho.

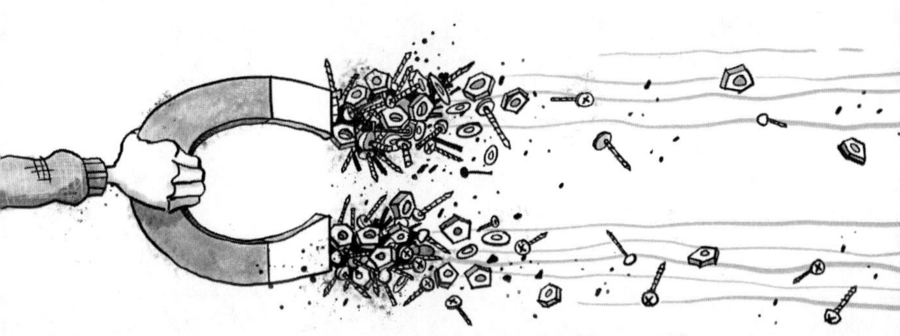

Casglodd Wil nhw a'u rhoi yn ei fag plastig. Gweithiodd mor gyflym a thawel ag y gallai, gan wrando ar leisiau distaw Alun a Kevin Phillips drwy'r bocs.

'Iawn, Kevin,' meddai Alun, 'dyma'r morthwyl – gafael yn hwn am funud.'

Dechreuodd Kevin balu twll yn y ddaear. Yna gosododd y morthwyl yn y twll a dechrau ei gladdu.

'Na, Kevin! Na! Paid. Gwranda, dwi'n gwybod i mi addo gwneud rhywbeth am gath drws nesa ...'

Stopiodd Kevin Phillips balu, ac edrych arno dros ei farf fwdlyd fawr.

'A dwi'n addo y bydda i'n gwneud ar ôl adeiladu llong fôr-ladron. A dweud y gwir, mae gen i syniad dieflig iawn – wyt ti am ei glywed?'

Ysgydwodd Kevin Phillips ei gynffon.

'Ti'n cofio dy syniad bod y cathod i gyd yn cael eu lladd gan feteor, fel y deinosoriaid? Wel, ry'n ni'n mynd i adeiladu ein meteor ein hunain, iawn? Beth am hynny?'

Neidiodd Kevin Phillips draw at Alun a llyfu ei glust yn gyffrous.

'Wyt, ti'n hoffi hynny, on'd wyt ti?'

Rholiodd Kevin ar ei gefn, a chosodd Alun ei fol nes bod ei goesau a'i gynffon yn wiglo i gyd.

'Achos fi yw'r dyn gwaethaf, gwaethaf, gwigli gwogli gwaethaf yn y byd-i-wyd i gyd yn grwn,' meddai Alun. 'A ti yw fy nghyn-ow-thwy-ydd awbennig iawn, ie wwwir, ie wwwir, ie wwwir.'

Ac eisteddodd Kevin a swatiodd Alun wrth ei ochr, a chosodd Alun y rhan tu ôl i glust Kevin oedd yn gwneud i'w bawen wiglo i gyd.

'Iawn, cer i nôl y morthwyl wnest ti ei gladdu yn y twll, a helpa fi i adeiladu,' meddai Alun.

Dylyfodd Kevin ei ên, cylchodd unwaith i'r dde, ddwywaith i'r chwith, unwaith eto i'r dde ac yna gorweddodd a chau ei lygaid a mynd i gysgu.

'Iawn. Dim ond fi, 'te,' meddai Alun yn drist. 'Planc C i slot Ch, a'i dynhau â nyten Dd ...'

Ond doedd nyten Dd ddim yno. Na nytiau A, B, C, Ch, D nac unrhyw un o'r bolltau na'r sgriwiau, gan eu bod nhw i gyd ym mag Wil ac roedd Wil yn sgrialu'n ôl dros y ffens ac i mewn i freichiau agored Stiwart (pedair ar ddeg ohonynt) ac i freichiau gludiog Dot.

Roedd Wil wedi stopio Alun rhag gwneud ei long fôr-ladron! Hwrê! Felly efallai y byddai Alun yn rhoi'r gorau iddi ac yn chwilio am rywbeth arall i'w wneud. Rhywbeth neis. Fel dawnsio gwerin. Ac efallai mai dyma ddiwedd y llyfr.

Y DIWEDD?

Beth am i ni edrych ar y dudalen nesaf ...

Wrth gwrs nad dyma ddiwedd y llyfr, y twpsod twp! O ran hanes Alun yn troi'n fôr-leidr – dyma lle mae'r holl helbul yn dechrau. Na, ond go iawn y tro 'ma.

Oedd, roedd Wil wedi llwyddo i roi diwedd ar ymdrechion Alun am y tro drwy godi pob un bollt, nyten a sgriw – a'r sbaner – efo'r magnet. Ond doedd Alun ddim am adael i rywbeth bach fel'na ei stopio. Roedd yn benderfynol o fod yn fôr-leidr.

Felly, ar ôl dweud pethau cas ar wefan gwerthwr y llong fôr-ladron, ac ar ôl archebu llawer o nytiau a bolltiau a sgriwiau bach, dechreuodd Alun greu ei long fôr-ladron eto ar unwaith. A dim ond dau ddiwrnod ar bymtheg yn ddiweddarach ...

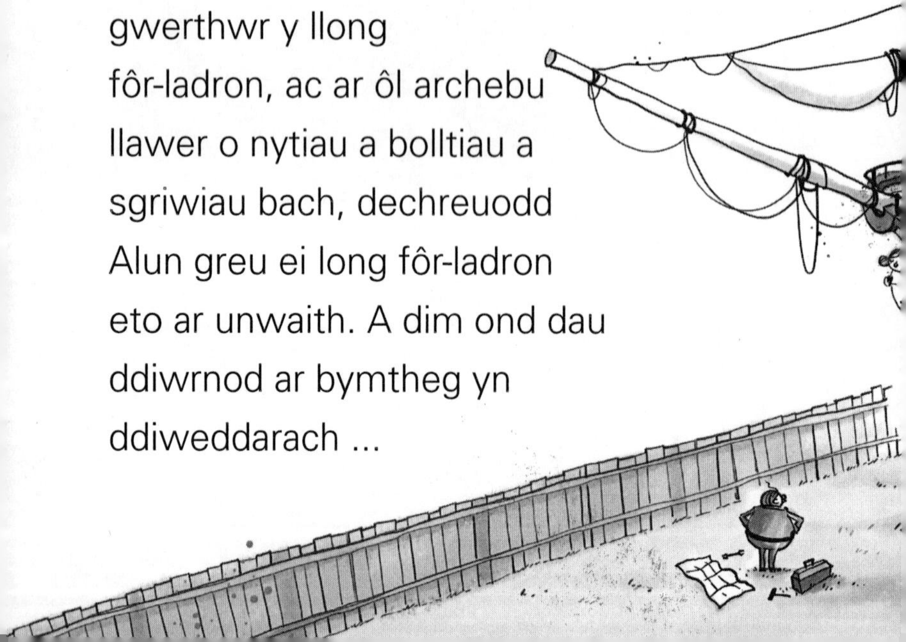

roedd
e wedi
gorffen!

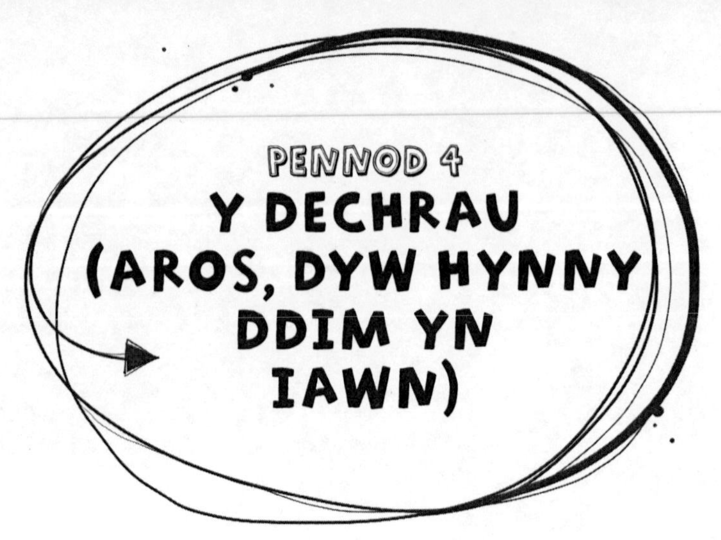

PENNOD 4
Y DECHRAU (AROS, DYW HYNNY DDIM YN IAWN)

Roedd hi'n ddiwrnod hyfryd, yn llawn heulwen. Neu oedd hi'n bwrw glaw? Efallai ei bod hi'n gymylog. Roedd rhyw fath o dywydd yn digwydd. Dewisa di. 'Sdim ansoddeiriau ar ôl 'da fi.

Ta waeth, roedd Wil, Dot a Stiwart yn cael brecwast.

Roedd Dot â'i hwyneb mewn powlen o grispis, ac yn eu sugno i'w cheg. Roedd Stiwart yn cnoi ar un o'r crispis niferus oedd

wedi tasgu o'i phowlen
ac roedd Wil yn trochi
sowldiwr tost
yn ei wy.

'Dot, mae Mam yn gweithio heddiw, felly mae hi wedi gofyn i fi fynd â ti i'r traeth,' meddai Wil.

'Tractor,' ailadroddodd Dot.

Gwnaeth Stiwart ddawns fach gyffrous.

'Stiwart,' meddai Wil, 'alli di ddim dod i'r traeth, mae'n ddrwg gen i. Ddim ar ôl beth ddigwyddodd y tro diwethaf.' Ac edrychodd yn gas ar Stiwart. A chochodd Stiwart rywfaint. A cheisiodd edrych fel pe bai diddordeb mawr ganddo mewn briwsionyn oedd ar y bwrdd o'i flaen.

Gwnaeth Wil becyn bwyd iddo'i hun ac i Dot. Roedd wrthi'n ei bacio yn ei hoff gynhwysydd plastig pan sylwodd fod rhywbeth yn cuddio tu ôl i Hula Hoop. Stiwart oedd e.

'Stiwart! Galla i dy weld di! Dywedais i na alli di ddim dod y tro 'ma. Fe gei di ddod y tro nesaf,' meddai Wil.

Roedd Stiwart yn anhapus. Trodd yn bêl.

'Stiwart, gwranda arna i,' meddai Wil.

Ond wnâi Stiwart ddim gwrando. Mae pryfed lludw, fel ry'ch chi'n siŵr o wybod, yn pwdu'n ddifrifol.

'Stiwart!' meddai Wil yn chwyrn. 'Dadrolia, yr eiliad hon.'

Rholiodd Stiwart yn dynnach.

Ochneidiodd Wil.

Roedd Stiwart yn mynd drwy gyfnod drwg ar hyn o bryd. Beiai Wil ei hun. Roedd wedi'i sbwylio. Byddai'n rhaid iddo gael sgwrs ddwys ag e ar ôl dod adref o'r traeth.

Roedd yn rhaid i Wil a Dot ddal dau fws i gyrraedd y traeth, ond roedd Wil wedi astudio llwybr ac amserlen pob bws yn fanwl, felly roedd yn hawdd iawn mewn gwirionedd. Roedd Wil yn hoffi mapiau ac amserlenni gan eu bod nhw'n daclus ac yn drefnus a bod popeth yn y lle cywir ar yr amser cywir, ac mae hynny'n tawelu meddwl rhywun.

Y daith ar y bws yw hoff ran Wil o fynd i'r traeth. Dyw Wil ddim yn hoff iawn o'r traeth gan fod yna dywod yno, a bod tywod yn anghyfleus iawn. Mae Dot, ar y llaw arall, wrth ei bodd ar y traeth. Mae hi'n hoffi palu a thaflu tywod a dipio'i hufen iâ yn y tywod ac yna'i fwyta mewn ffordd frawychus o grensiog. Heddiw, ar ôl dim ond deg munud, roedd cyfuniad o lysnafedd a hufen iâ a thywod yn golygu bod pob modfedd ohoni'n grwst smotiog.

Gwyliodd Wil hyn i gyd yn amyneddgar, a hances wlyb yn ei ddwy law.

Tra oedd Wil yn gwylio, cerddodd rhywun heibio a gafael ym mwced a rhaw Dot, gan ddweud, 'Bydd angen y rhain arna i i balu am fy nhrysor,' ac yna brasgamu i ffwrdd.

'Fy mwced a rhaw!' wylodd Dot. Ond pan mae rhywun yn wylo, mae llythrennau'n diflannu neu'n ymestyn yn hir hir hir, felly roedd yn swnio mwy fel:

'yyyy mwcd a rhaaaaaaaaaaw!'

Trotiodd Wil ar ôl y person. Nid unrhyw berson oedd yno – ond Alun!

'Esgusodwch fi, Mr Alun ...' meddai Wil. 'Allwn ni gael ein bwced a'n rhaw yn ôl?'

'Nid Alun yw fy enw i,' meddai Alun. 'Fy enw i yw'r Barwn Barflas.'

'Ond 'sdim barf 'da chi,' meddai Wil.

'Iawn, mi wna i ddewis yr enw Capten Craithwep,' meddai Alun.

'Ond 'sdim craith 'da chi,' meddai Wil.

'Iawn, mi wna i ddewis yr enw Capten Bachyn,' meddai Alun.

'Ond 'sdim bachyn 'da chi chwaith,' meddai Wil yn dawel.

'Paid â gwastraffu fy amser,' gwaeddodd Alun. 'Dwi'n brysur yn codi ofn ar bawb.'

'Iawn, wrth gwrs,' meddai Wil, 'ond cymeroch chi fwced a rhaw fy chwaer a dyna'i hoff bethau hi gan fod y bwced yn goch ac mae'r rhaw'n palu ac yn dda am fwrw pobl ar eu pennau, a phalu a bwrw pobl yw ei phrif bethau hi, felly os gallwn ni eu cael nhw'n ôl ...'

'Ydy hynny'n swnio fel y math o beth y byddai môr-leidr yn ei wneud?' gofynnodd Alun.

'Ydy,' meddai Wil, 'môr-leidr neis.'

'Wel, nid môr-leidr neis ydw i. Fi yw'r môr-leidr gwigli gwogli gwaethaf yn y byd-i-wyd i gyd yn grwn.'

'Ond ble mae eich llong fôr-ladron?' gofynnodd Wil, wedi drysu.

'Yn fan'na. Wedi'i chlymu at ben y pier. Yr *SS Alun*,' meddai Alun yn falch.

Edrychodd Wil i'r cyfeiriad roedd Alun yn pwyntio ato – a dyna lle roedd hi, â baner fawr ar y top a llun o Alun arni.

'Ond doedd dim nytiau na bolltiau na sgriwiau 'da chi!' meddai Wil yn betrus.

'Nac oedd. A fydda i ddim yn prynu llong arall gan y gwerthwr penodol yna, cred ti fi,' meddai Alun. 'Ond llwyddais i brynu nytiau a bolltiau a sgriwiau eraill, a nawr dwi'n mynd i fod yn fôr-leidr ffyrnig, felly esgusoda fi.'

A gyda hynny, stompiodd ar hyd pompren ei long fôr-ladron, yn dal i gydio ym mwced a rhaw Dot.

Ceisiodd Wil egluro i Dot, ond doedd hi ddim yn gwrando. Addawodd losin a loli iddi, a bwcedi a rhawiau eraill di-ben-draw – ond doedd dim yn tycio. Llefodd a llefodd hi nes bod dau lwybr bach glân lle roedd ei dagrau wedi glanhau'r budreddi gludiog o'i hwyneb.

Sylweddolodd Wil ei fod yn mynd i orfod

cael bwced a rhaw Dot yn ôl. A dyna pryd ddechreuodd yr

holl helbul

(Na, ond **GO IAWN** y tro 'ma.)

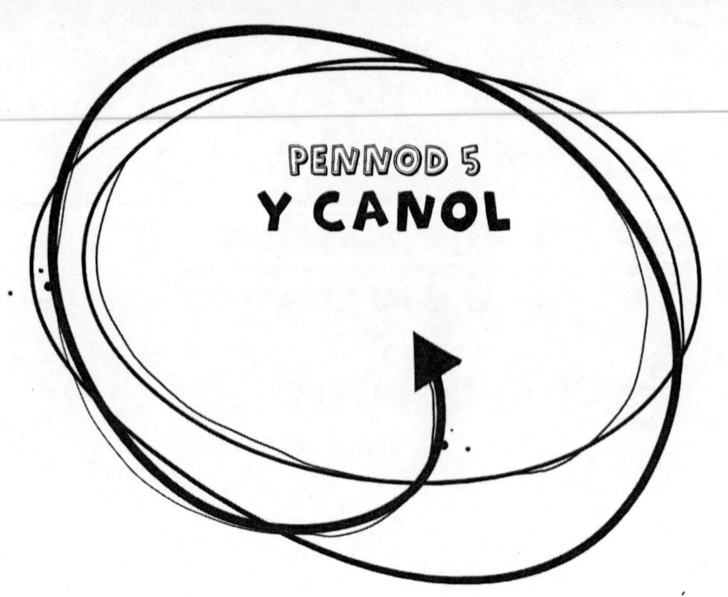

PENNOD 5
Y CANOL

Cerddodd Wil a Dot ar flaenau eu traed ar hyd pompren y llong, yn dal eu hanadl bob cam. Pan gyrhaeddon nhw'r top, gwelodd Wil Alun yn edrych drwy ei sbienddrych. Nesaf ato roedd Kevin Phillips. Roedd Kevin yn gwisgo côn rownd ei wddf gan ei fod yn mynnu cnoi ei ben-ôl. A nawr roedd ganddo ddarn moel bach poenus ar ei ben-ôl mawr blewog.

Cododd Wil Dot, a mynd i sefyll mor dawel â botwm, tu ôl i'r mast.

Y foment honno, daeth postmon heibio.

'Dwi'n chwilio am gyfeiriad,' meddai'r postmon. 'Ai dyma Llong Fôr-ladron Fawr, Gwaelod Cymru, Yn y Môr?'

'Ie! Ie wir!' meddai Alun.

'Mae gen i becyn i chi,' meddai'r postmon. 'Ond does dim digon o stampiau arno, felly bydd yn rhaid i chi dalu 18c.'

'Drapia,' meddai Alun. 'Dim ond ers munud dwi 'di bod yn fôr-leidr, a dwi 'di colli 18c yn barod.'

Tra oedd sylw Alun ar y pecyn, rhedodd Wil a Dot at yr hatsh, i lawr yr ysgol ac i mewn i'r llong.

Roedd llawer o ganonau a chasgenni ynddi, ond dim arwydd o fwced Dot. Roedd hamogau a gynnau a chleddyfau a llygod mawr – yyych, llygod mawr – ond dim bwced. Roedd yna fôr-ladron mawr a môr-ladron bach a môr-ladron â choesau pren a môr-ladron â barfau pren, ond dim bwced. Roedd cleddyfau a chyllyll a phethau pigog sy'n brifo, ond dim bwcedi.

Yn sydyn, rhedodd Alun i lawr y grisiau. Cuddiodd Wil a Dot tu ôl i gasgen.

'Edrychwch, mae fy mharot wedi cyrraedd!' meddai Alun wrth Kevin Phillips yn gyffrous. 'Archebais i hi ar-lein. Dwi'n mynd i roi'r enw Linda arni.'

Symudodd Alun y deunydd pacio i'r ochr, ac am funud cafodd ysfa i wasgu rhai o'r swigod ar y papur popian.

'Gwylia hyn,' meddai Alun wrth Kevin Phillips.

'Parot pert, parot pert,' meddai Alun wrth y parot.

Winciodd Linda ar Alun.

'Mae parotiaid yn gallu siarad,' esboniodd Alun wrth Kevin Phillips. Yna roedd yn poeni y byddai Kevin Phillips yn teimlo'n wael am nad oedd e'n medru siarad, felly ychwanegodd yn gyflym, 'Hynny yw, nid dyna pam ges i'r parot

– ro'n i'n meddwl y dylwn i gael un, os ydw i'n mynd i fod yn fôr-leidr go iawn.'

Symudodd Kevin ar hyd y llawr ar ei ben-ôl.

'Edrycha ar hyn. Bydd hi'n ailadrodd popeth fydda i'n ei ddweud,' meddai Alun yn falch.

'Parot pert, parot pert.'

Syllodd Linda arno.

'Efallai eu bod nhw wedi anfon un sydd wedi torri ata i.'

Trodd Alun Linda ben i waered i weld a oedd rhywle i osod batris.

'Aaaaa,' meddai Linda mewn ffordd ddryslyd.

'A! Ti'n gallu siarad!' meddai Alun. 'Iawn. Dwêd parot pert.'

'Pam fyddwn i'n gneud 'na?' gofynnodd Linda.

'Gan 'mod i wedi gwneud,' esboniodd Alun.

'Felly pam fyddwn i'n gweud yr un peth â ti?' gofynnodd Linda.

'Gan mai parot wyt ti. Ti'n barot. Mae'r enw'n gliw,' meddai Alun, braidd yn ddiamynedd.

'Os wyt ti'n mynnu,' meddai Linda.

'Beth oedd e 'to?'

'Parot pert.'

'Carw cert?'

'Parot pert.'

'Barod Bert?'

'Parot pert.'

'Tebot a sgert?'

'Na! Beth sy'n bod arnat ti?' chwyrnodd Alun, gan stompio'i droed.

'Dwi braidd yn fyddar. Mae canonau'n bethau swnllyd, ti'n gwbod, ac yn ddrwg i'r clustiau.'

'Ond does dim clustiau gen ti.'

'Wel, dyw hynny ddim yn helpu chwaith,' cytunodd Linda.

'Iawn. Anghofia am yr ailadrodd. Eistedda ar fy ysgwydd,' mynnodd Alun.

'O, fedra i ddim,' meddai Linda. 'Iechyd a diogelwch. Gallwn i gwympo.'

'Aderyn wyt ti! Ti'n gallu hedfan!'

'Ta waeth am 'ny, bydd angen harnais arna i, neu byddwn ni'n torri sawl rheol iechyd a diogelwch. A gallet ti golli dy drwydded fôr-ladron. A chael dy wahardd.'

'Mae hyn yn jôc!' gwaeddodd Alun yn gandryll.

'Nid fi sy'n gwneud y rheolau,' meddai Linda.

Trodd Alun a chicio bwced yn grac.

Aros funud – roedd wedi cicio bwced. Y bwced! Dyna'r bwced ry'n ni wedi bod yn chwilio amdano. Roedd e dan hamog Alun o'r dechrau.

'Mwcd a rhaaaw!' meddai Dot gan lefain. Rhoddodd Wil ei law dros ei cheg.

'Beth?' meddai Alun wrth Linda.

'Wedes i ddim byd,' meddai Linda.

Twt-twtiodd Alun a dringo'r ysgol i'r dec.

Cropiodd Wil a Dot ar hyd y llawr at yr hamog. Cydiodd Wil yn y bwced a chymerodd Dot y rhaw gan gnoi arni'n llawen.

Yna aeth Wil a Dot ar flaenau eu traed at yr ysgol. Edrychon nhw mas, gan weld Alun yn ceisio clymu ei batsyn llygad. Symudon nhw'n araf tuag at y bompren, mor dawel â staen.

Yn sydyn ...

'Codwch yr angor a hwyliwch!' gwaeddodd Capten Alun.

A gan siglo 'nôl a 'mlaen, lansiwyd y llong fôr-ladron i'r môr.

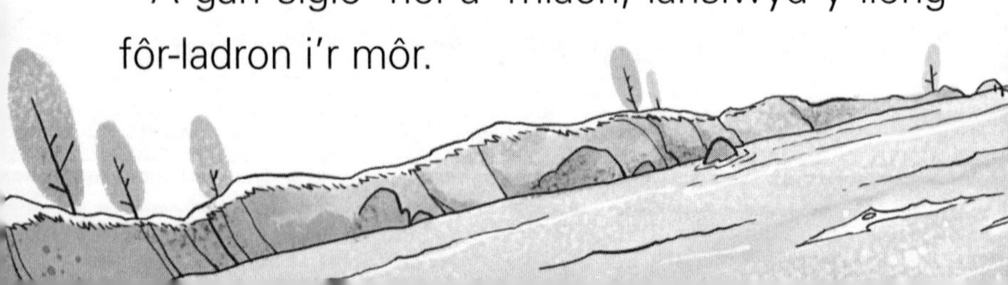

O na!

Roedden nhw'n methu dianc!

Roedden nhw'n gaeth ar y llong!

Roedden nhw'n deithwyr cudd!

Gwasgon nhw eu hunain mor fach â phosib a chuddio tu ôl i gasgen.

'Iawn, gyfeillion!' meddai Alun.

'Ie?' meddai dau lais yr un pryd.

'Beth?' gofynnodd Alun, wedi drysu.

'Ni yw Mr a Mrs Cyfaill,' meddai pâr oedd yn gwisgo'r un siwmper tedi bêr.

'Nid dim ond chi, nid dim ond chi,' meddai Alun. 'Dwi'n siarad â phawb.'

'O, sori,' meddai llais. 'Do'n i ddim yn gwrando.'

'Beth?' gofynnodd Alun, wedi drysu mwy.

'Fi yw Dai Pawb,' meddai Dai Pawb.

'Nid ti – ro'n i'n golygu *pawb*. Yr holl fôr-ladron!' meddai Alun.

'Dy'n nhw ddim yma. Maen nhw i gyd yn cysgu i lawr grisiau yn eu hamogau,' esboniodd Dai Pawb.

'Iawn,' meddai Alun. 'Dim ond y tri ohonoch chi, 'te. Dwi wedi dod o hyd i hen fap hynafol. Ac mae X yn nodi lle mae'r trysor wedi'i gladdu.'

'Mae hynny'n swnio'n hyfryd, ond dim ond dod i ddysgu sut i blygu napcynau wnaethon ni,' meddai Mr a Mrs Cyfaill.

'Llong fôr-ladron yw hon, nid llong fordeithio!' gwaeddodd Alun yn grac.

'O diar,' meddai Mr Cyfaill. 'Felly dim noson fingo?'

'Na!' meddai Alun.

'Dim noson caneuon Dafydd Iwan?' gofynnodd Mrs Cyfaill.

'Yn bendant, na!' meddai Alun.

'Dim noson gwisg ffansi?' gofynnodd Mr Cyfaill.

'Oes, mae 'na noson gwisg ffansi'n bendant – dwi 'di gweld lot o bobl wedi'u gwisgo fel môr-ladron,' meddai Mrs Cyfaill.

'ACHOS TAW MÔR-LADRON YDYN NHW!'

gwaeddodd Alun mewn llais gwichlyd. 'Nawr ry'n ni'n mynd i'r ynys ddieithr anghysbell yma – ac ar fy ngorchymyn i ry'n ni'n cosbi'r byd!' gwaeddodd mewn llais dwfn.

'Y peth yw,' meddai Dai Pawb, 'byddwn i wrth fy modd yn cosbi'r byd, ond mae'r môr yn fy ngwneud i'n dost. Alla i gosbi'r byd fory?'

'Iawn, sbo,' meddai Alun. 'Beth amdanoch chi'ch dau?'

'Ry'n ni eisiau ein harian yn ôl,' meddai Mr a Mrs Cyfaill.

'Iawn. Fe wna i gosbi'r byd ar fy mhen fy hun,' meddai Alun yn drist. 'Fel arfer.'

'Gallwch chi wastad mynd â'r teithwyr cudd,' awgrymodd Mrs Cyfaill.

'Pwy?' meddai Alun.

'Y ddau yna, sy'n cuddio tu ôl i'r gasgen yn fan'na,' meddai Mrs Cyfaill, gan bwyntio tuag at Wil a Dot.

Teimlodd Wil ei wallt yn mynd yn dwym.

Yna dechreuodd ei glustiau hymian a cheisiodd ei bengliniau fynd y ffordd anghywir.

'O, mae ganddon ni deithwyr cudd, oes e?' rhuodd Alun.

'Na, dim ond fi a Dot, a dim ond yma ar

ddamwain a hap ydyn ni,' eglurodd Wil, a'i lais yn crynu, 'gan fod Dot eisiau ei ...'

'Mwcd a rhaaaaw!' wylodd Dot.

'Wyt ti'n gwybod beth mae môr-ladron yn ei wneud gyda theithwyr cudd?' meddai Alun.

'Nac ydw,' atebodd Wil yn betrus.

'Na fi chwaith,' meddai Alun. 'Dwi ddim wedi cyrraedd mor bell â hynny yn y llawlyfr **"Sut i Fod yn Fôr-leidr"** – ond mae'n siŵr nad yw e'n gosb neis iawn.'

'Na, ry'ch chi'n iawn, mae'n siŵr,' cytunodd Wil.

'Yn y cyfamser, gallwch chi fy helpu i ddod o hyd i'r trysor cudd,' meddai. 'Dilynwch fi!'

A chyda hynny, dringodd y rhaff i fyny'r hwylbren.

PENNOD 6

Y DECHRAU (MAE HYN YN MYND YN WIRION)

'Tir ar y gor . . . **aaa!**' gwaeddodd Alun, gan fod y llong fôr-ladron wedi taro ynys ddieithr anghysbell gan beri iddo gwympo oddi ar yr hwylbren a bwrw'i drwyn ar y dec.

'Tir ar y gorw ... **aaa!** Tir ar y gorw ... **aaa!**' ailadroddodd Linda.

'Na, paid ag ailadrodd hwnna,' meddai Alun. 'Wedes i fe'n anghywir.'

'Tir ar y gorw ... **aaa!**' meddai Linda.

'Ro'n i'n mynd i ddweud tir ar y gorwel!' esboniodd Alun. 'Ond cwympais i.'

'Tir ar y gorw ... **aaa!**' meddai Linda.

'Oherwydd i'r llong fwrw'r ynys,' mynnodd Alun.

'Tir ar y gorw ... **aaa!**' meddai Linda, yn uwch.

'Stopia!' gwaeddodd Alun.

'Siopa!' meddai Linda.

'Siopau? W, dwi'n hoffi siopau bach neis,' meddai Mr Cyfaill

'Ydyn nhw'n gwerthu pethau bach diddorol?' gofynnodd Mrs Cyfaill.

'caewch hi!' meddai Alun. 'Rwyf i, y Barwn Alun –'

'Caewch hi!' meddai Linda.

'Rwyf i, y Barwn Alun, yn mynd i hawlio'r ynys hon –' brwydrodd Alun ymlaen.

'Caewch hi!' meddai Linda.

'A'r holl drysor arni,' meddai Alun, gan wneud ei orau glas i anwybyddu Linda. 'Gan taw fi yw'r môr-leidr mwyaf ffyrnig yn yr holl fyd, gyda phawb yn fy –'

'Wnest ti alw amdana i?' meddai Dai Pawb o gefn y llong.

'Naddo wir. Dwi yng nghanol araith, os yw hynny'n iawn –'

'Caewch hi!' meddai Linda

'Gyda phawb yn fy ofni a'm parchu.'

'Caewch hi!' ailadroddodd Linda.

'Dwi i ddim yn eich ofni na'ch parchu chi,' meddai Dai Pawb, gan gerdded draw, 'ond dwi ddim wir yn eich nabod chi. Efallai y bydda i ar ôl dod i'ch nabod chi.'

Caeodd Alun ei lygaid a gwasgodd ei ben am ychydig.

'Iawn, dewch ymlaen, deithwyr cudd, dewch i ni ollwng y bompren.'

Helpodd Wil Alun i ollwng y bompren a gwyliodd wrth i Alun gerdded yn bwysig at draeth yr ynys anghysbell, ddieithr.

'Mi enwaf yr ynys hon yn ...' meddai Alun yn fawreddog, **'Wlad Alun.'** Yna plannodd faner yn y tywod. Yna meddyliodd

am eiliad a thynnodd y faner eto. 'Neu ydy **Alunwlad** yn well?' gofynnodd.

Mae'n well gen i Ynys Môn, sef lle wyt ti yr eiliad hon,' meddai hen fenyw oedd yn mynd â'i chi am dro.

'Nonsens,' meddai Alun yn grac. 'Ynys

anghysbell yw hon dwi newydd ei darganfod. A'i henw hi fydd Unol Daleithiau Alun.'

Plannodd ei faner yn ôl yn y tywod eto.

Ar unwaith, cododd ci'r hen fenyw ei goes a phi-pi ar bolyn baner Alun.

'Brad!' gwaeddodd Alun. 'Arestiwch y bradwr.'

'Tyrd, Trefor, paid â phi-pi ar bolyn y faner,' meddai'r hen fenyw wrth ei chi.

Trotiodd Trefor tuag at Kevin Phillips ac arogli ei ben-ôl, ac yna aroglodd Kevin Phillips ben-ôl Trefor.

'Pam fod côn rownd gwddf eich ci chi?' gofynnodd yr hen fenyw.

'Nid ci yw e,' esboniodd Alun. 'Ei enw yw Kevin Phillips, a fe yw fy nghynorthwyydd.'

'A pham fod côn rownd ei wddf?' gofynnodd yr hen fenyw eto.

'Gan ei fod yn mynnu cnoi ei ben-ôl,' atebodd Alun yn anhapus.

'A, mae fy un i'n gwneud yr un peth. Anifeiliaid twp,' meddai'r hen fenyw'n llon.

'Alla i ddim eich clywed chi gan nad ydych chi yma gan nad ydych chi'n bodoli,' meddai Alun. 'Fi yw'r person cynta i gamu ar yr ynys hon a dwi'n mynd i saliwtio fy maner a chanu fy anthem genedlaethol i fy hun.' Ac yna dechreuodd ganu, mewn llais uchel iawn:

'Mae hen wlad fy Alun yn annwyl i mi,
Gwlad Alun ac Alun, ac Alun o fri ...'

'Am sŵn erchyll,' cwynodd yr hen fenyw. 'Ga i awgrymu eich bod chi'n tynnu eich baner o'r tywod ac yn gadael y traeth, neu bydd raid i mi ffonio'r heddlu.'

'Gwrandewch,' meddai Alun. 'Mae'n draddodiad ers oes i anturiaethwyr fel fi ddarganfod gwledydd newydd, cyn canfod bod pobl ddiflas eisoes yn byw yno.'

'Yn hollol,' meddai'r hen fenyw. 'Felly'r peth gorau i chi ei wneud yw mynd â'ch baner a'i throi hi am adref.'

'Na,' meddai Alun, 'Y peth gorau i fi ei wneud yw eich lladd chi ac esgus nad oeddech chi yma yn y lle cynta.'

Cerddodd Alun yn ôl at ei long. 'Dewch 'mlaen, deithwyr cudd. A chroeso i **Unol Daleithiau Gwlad Alun Fawr,**' meddai.

'Ynys Môn yw hon,' meddai'r hen fenyw o bell.

'Anwybyddwch hi,' meddai Alun wrth Wil a Dot. 'Nawr, edrychwch ar y map hwn; rhaid bod y trysor yn yr ogof draw fan'na. A'ch swydd chi yw mynd i'w nôl.'

'Y peth yw,' meddai Wil, 'mae ofn ogofâu arna i gan fy mod i'n poeni y bydd eirth yn byw ynddyn nhw. Ac mae ofn eirth arna i.'

'O, fydd 'na ddim arth yno,' meddai Alun.

'Wir?' gofynnodd Wil.

'Na fydd,' meddai Alun.

'Mae'n llawer mwy tebygol y bydd cranc

enfawr yno. Neu gasiliwn o ystlumod. Neu neidr anferth. Neu ryw fath arbennig o lygod mawr dall gyda chynffonnau hir a dannedd miniog. Neu efallai nyth sgorpion.'

Yn sydyn roedd Wil yn teimlo'n llawer, llawer gwaeth.

'Dewch 'mlaen, 'te, bant â chi,' meddai Alun yn ddiamynedd.

'Iawn,' meddai Wil, 'ar ôl i mi wneud un peth.'

Ac estynnodd i'w fag am ei daflen 'Sut i Stopio Poeni'.

Roedd rhif pedwar yn dweud **'Canolbwyntiwch ar rywbeth arall, fel dawnsio.'** Roedd yn gas gan Wil ddawnsio, ond roedd yn barod i roi cynnig ar unrhyw beth.

Dechreuodd siffrwd-ddawnsio mewn ffordd araf a swil. Syllodd Dot ac Alun a Mr a Mrs Cyfaill a Dai Pawb a'r hen fenyw o'r traeth (a Trefor y ci) ar Wil.

Teimlai Wil ei hun yn cochi. Doedd hyn ddim yn helpu o gwbl. Efallai fod angen iddo wneud dawns gynt, mwy sbroingiog.

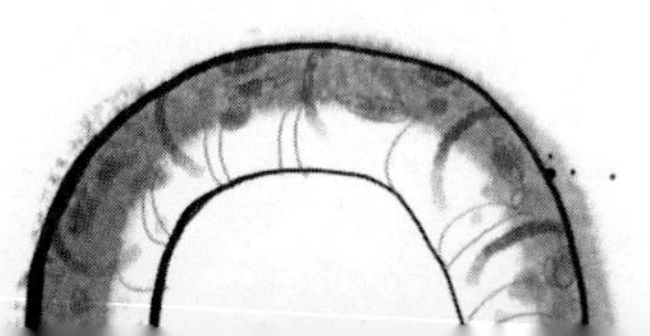

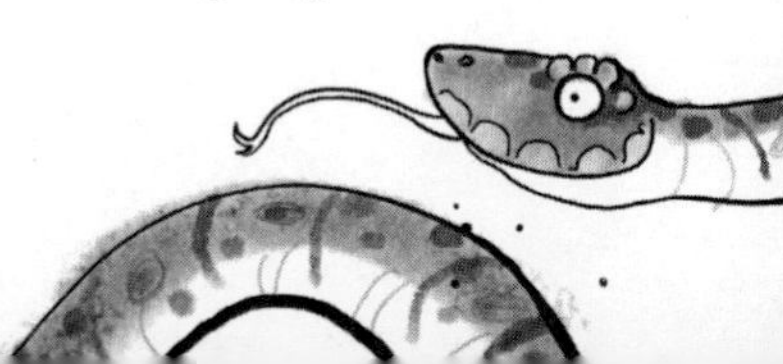

Ceisiodd godi ei bengliniau a thaflu ei freichiau a neidio.

Roedd Dot ac Alun a Mrs a Mrs Cyfaill a Dai Pawb a'r hen fenyw o'r traeth (a Trefor y ci) yn dal i syllu, wedi'u drysu'n lân.

Efallai fod y daflen yn golygu dawns fwy traddodiadol. Dechreuodd Wil wneud dawns y glocsen, yn fwy troellog a bywiog, ond gyda golwg ddifrifol iawn ar ei wyneb.

Camodd Dot ac Alun a Mr a Mrs Cyfaill a Dai Pawb a'r hen fenyw o'r traeth (a Trefor y ci) yn ôl yn ffwndrus. Dywedodd y Cyfeillion wrth Alun eu bod nhw'n mynnu cael eu harian yn ôl – eto – os mai dyma fyddai eu hadloniant ar y fordaith.

Roedd Wil yn teimlo'n annifyr. Byddai'n well ganddo fod mewn ogof dywyll gydag eirth a chrancod na gorfod dawnsio tra oedd pobl yn syllu arno, felly cododd ei fag a rhedeg i mewn i'r ogof. Roedd hi mor oer a gwlyb â hen fag te yno.

Tynnodd Wil ei dortsh o'i fag er mwyn iddo allu gweld a oedd arth neu granc mawr neu unrhyw beth arall sgytlog neu bigog neu gnoiog yn yr ogof. Ac roedd ganddo becyn bwyd y gallai ei daflu pe bai'r arth neu'r cranc neu'r peth sgytlog cnoiog yn edrych yn farus ac yn llwglyd. Ac roedd ei sliperi ganddo hefyd, gan ei fod yn mynd â nhw i bobman achos eu bod nhw'n gyfforddus ac yn gysurus, ond hefyd gallai redeg yn gyflym dros ben yn ei sliperi – yn gynt nag arth na chranc na pheth cnoiog sgytlog.

Cerddodd Wil ar flaenau ei draed i gefn yr ogof, yn ei sliperi. Yn sydyn, clywodd sŵn siffrwd.

Beth oedd e?

Shh!

Dyna fe eto!

Ceisiodd feddwl pa fath o anifail fyddai'n gwneud sŵn siffrwd. Arth yn peswch? Cranc ag alergedd? Na, Wil oedd yn anadlu mewn panig. Ceisiodd gadw'i banig dan reolaeth, ac aeth yn ei flaen.

Yn sydyn, clywodd sŵn crafu cryg.

Beth oedd e?

Shh!

Dyna fe eto!

Ceisiodd feddwl beth fyddai'n gwneud y fath sŵn. Sgorpion ag annwyd? Ystlum yn cnoi gwm?

Na, sliperi Wil oedd yn gwneud sŵn wrth iddo gerdded.

Ceisiodd gerdded yn dawelach tua chefn yr ogof.

Yn sydyn, clywodd sŵn gwichian.

Beth oedd e?

Shh!

Dyna fe eto!

Roedd yn swnio fel bachgen bach yn gwichian mewn braw. Efallai fod Wil yn gwichian mewn braw. Ond na, nid fe oedd e.

Gwichiodd, ac roedd ei sŵn gwichian e'n gwbl wahanol.

Syllodd drwy'r tywyllwch. Yng nghefn yr ogof, gallai weld rhywbeth. Edrycha – draw fan'na! Na, ddim fan'na – draw fan'na! I'r chwith, i lawr, i'r dde ychydig ... ie, dyna ti – cist drysor!

A rhywbeth arall, drws nesaf i'r gist drysor – cysgod tywyll. Pwyntiodd Wil ei dortsh tuag ato. Bachgen bach gwichlyd oedd yno.

'Paid â 'mrifo fi!' meddai'r bachgen.

'Pwy wyt ti?' holodd Wil.

'Jac ydw i, ac mae arna i ofn y bydd arth yn yr ogof yma.'

'Does dim eirth,' meddai Wil. 'Na chrancod, ystlumod, nadroedd na sgorpionau chwaith.'

Llyncodd Jac yn swnllyd.

'Ond clywais i sŵn siffrwd ac yna sŵn crafu cryg,' meddai Jac yn bryderus.

'Ie, fi oedd yna,' meddai Wil.

'Ac yna sŵn rhech,' meddai Jac.

'Wel, does dim angen i ni sôn am hynny. Beth bynnag, beth wyt ti'n wneud yn yr ogof?' gofynnodd Wil, gan newid trywydd y sgwrs.

'Des i o hyd i'r trysor yma,' atebodd Jac. 'A dwi'n mynd i'w gadw.'

'O diar,' meddai Wil. 'Ro'n i'n gobeithio ei gael.'

'Na, fy un i yw e, a dwi'n mynd i'w gadw am byth bythoedd,' meddai Jac. 'Oni bai ...' ychwanegodd, gan graffu ar Wil, 'wyt ti am ei gyfnewid?'

'Ydw!' meddai Wil. 'Beth hoffet ti?'

'Ai picnic sydd gen ti'n fan'na?' gofynnodd Jac yn farus.

'Ie, ie wir,' atebodd Wil.

'Cymera i'r bisgedi a'r tortsh a dy sliperi,' meddai Jac.

'Iawn, dim problem – bargen!'

Ysgydwodd y bechgyn ddwylo a chododd Wil y gist drysor a gadael yr ogof.

'Gwych! Gwych! Ti 'di llwyddo!' bloeddiodd Alun wrth iddo weld Wil yn dod o'r ogof yn cario'r gist drysor. 'Nawr fi fydd y môr-leidr mwyaf cyfoethog yn y byd i gyd, a bydda i'n prynu

Gwn Mawr Betingalw

newydd ac yna bydd pawb yn fy ofni a'm parchu a fi fydd y dyn gwaethaf, gwaethaf, gwigli gwogli gwaethaf yn y byd i gyd yn ... o, daro.'

Stopiodd Alun ar ganol brolio pan agorodd y gist drysor a gweld beth oedd tu mewn.

Nid diemwntau a pherlau ac emralltau a rhuddemau a phethau sgleiniog prydferth gwerthfawr a drudfawr eraill oedd yno. Ond yn hytrach, hen gopïau o gomic môr-ladron, cerrig siapiau diddorol, powlen bysgodyn aur a physgodyn plastig ynddi, losin (wedi llwydo), cylch rwber, gwialen bysgota a bat criced.

'Dyw hwn ddim yn drysor!' gwaeddodd Alun yn grac.

'Mae e os y'ch chi'n hoffi cerrig a chomics,' meddai Wil. 'Fel fi!'

'Mae'n ddiwerth!' meddai Alun.

'Un funud,' meddai Wil. 'Gwariais i ddwy sliper ar hwn. A thortsh a bisgedi. Felly dyw e ddim yn ddiwerth, chi'n gweld.'

'Wel, fe gei di fe, 'te,' meddai Alun. 'Dwi'n mynd i chwilio am drysor *go iawn* drwy ddwyn o longau eraill, fel môr-leidr *go iawn*.'

A *dyna* pryd ddechreuodd yr

holl helbul.

NA, OND WIR WIR WIR O DDIFRI TRO 'MA!

PENNOD 7
MAE HWN YN EDRYCH FEL Y DIWEDD OND WEDYN DYW E DDIM

Arweiniodd Alun ei deithwyr cudd yn ôl i'w long fôr-ladron. Roedd Wil mor drist â hosan unig. Roedd yn hiraethu am adref, roedd wedi colli ei sliperi gorau, ac roedd mor flin â chneuen ei fod wedi dod ar long Alun o gwbl. O leiaf roedd Dot yn hapus; roedd hi'n dal i gnoi ei rhaw a tharo'i bwced yn erbyn ei phen yn llawen.

Ond doedd Wil ddim yn hapus. Roedd yn gweld eisiau Stiwart. Byddai Stiwart yn gwybod sut i wneud iddo deimlo'n well. Byddai Stiwart wedi codi ei galon.

Roedd Wil yn teimlo fel petai ar fin llefain, felly ceisiodd chwibanu. Ond mae'n anodd iawn gwneud siâp **'o'** gyda'ch ceg pan mae'n dymuno gwneud siâp **'waaaaaaaaa'**.

Llwyddodd i chwibanu ambell nodyn, ond roedden nhw'n simsan a thrist. Roedd yn gas ganddo fod yn deithiwr cudd. Roedd e eisiau bod adref.

Yna, o gornel ei lygad, sylwodd ar rywbeth. Rhywun yn chwifio. Rhyw*beth* yn chwifio. Gyda phedair coes ar ddeg. Oedd e'n bosib? Nac oedd! Ond – dyna fe!

Roedd Stiwart wedi dod mas o boced top Wil! Roedd Stiwart yn deithiwr cudd ar Wil!

'O, Stiwart! Mae mor braf dy weld di!' meddai Wil yn syn. 'On'd wyt ti'n bry lludw drwg,' ychwanegodd, gan geisio edrych yn wglyd a difrifol. 'Ond dwi'n falch dy fod ti'n bry lludw bach drwg, neu fyddet ti ddim yma!'

Cusanodd Wil Stiwart.

Rhwbiodd Stiwart ei foch ar Wil. Ysgydwon nhw eu dwylo yn eu ffordd gyfrinachol (bedair ar ddeg o weithiau), a dangosodd Wil ei drysor i Stiwart. Dechreuodd deimlo'n well o lawer. Nes ...

'A-hoi, gyfeillion, cliriwch y dec, codwch y faner, gwnewch rywbeth neu'i gilydd, taniwch y canonau!' gwaeddodd Alun.

'Mae'n ddrwg 'da ni,' meddai Mr a Mrs Cyfaill. 'Ry'n ni'n rhy brysur yn gwylio sioe gerdd yn y theatr. Mae Barti Barfog wedi trefnu perfformiad yn arbennig.'

'A phawb arall?' gofynnodd Alun.

'Mae'n amser anghyfleus,' meddai Dai Pawb. 'Ry'n ni'n chwarae bingo, ac mae Tomos Torri Gyddfau'n dweud y gallwch chi ennill hamper.'

'Beth am y teithwyr cudd?' gofynnodd Alun.

'Yr unig beth yw bod Dylan Dim Dannedd wedi addo'n dysgu ni i blygu napcynau i greu siâp alarch,' meddai Wil.

'Ond môr-ladron ydyn ni,' mynnodd Alun, 'a dwi 'di gweld llong arall yn y pellter – rhaid i ni ymosod arnyn nhw, dwyn y trysor, ei guddio o dan y dec a cherdded y planc.'

Dawnsiodd rhai o'r môr-ladron heibio mewn conga.

Trodd Alun at Linda. 'Dwêd rywbeth.'

'Hmm?' meddai Linda. 'Fel beth?'

Ochneidiodd Alun. 'Ti'n gwybod, ti'n gwybod – codwch y faner, cerddwch y planc, cuddiwch y trysor – yr holl stwff yna,' meddai Alun yn ddiamynedd.

'Dodwch y faneg?' gofynnodd Linda.

'Codwch y faner.'

'Torrwch fi'n hanner?' gofynnodd Linda.

'Codwch y faner,' meddai Alun eto.

'Nodwch y sbaner?' gofynnodd Linda.

Cyn i Alun regi'n ddrwg, cyrhaeddon nhw'r llong arall. Fel roedd hi'n digwydd, roedd Alun wedi bod yn edrych drwy ben anghywir ei delesgop, felly nid oedd yno, ond

LLONG
RYFEL
ENFAWR
YN AGOS
DROS BEN!

'Iesgyrn,' meddai Alan. **'Taniwch y canonau!'**

'Glaniwch y calonnau?' meddai Linda.

'Suddwch y llong!' gorchmynnodd Alun.

'Surwch y pong?' meddai Linda.

'Saethwch y parot!' meddai Alun, gan neidio lan a lawr yn flin gacwn.

'Boddwch y carot?' meddai Linda, wedi drysu. 'Byddai'n haws ailadrodd popeth ti'n ei ddweud taset ti'n dweud unrhyw beth sy'n gwneud synnwyr,' cwynodd.

'Nefi bliw!' cwynodd Alun yn ddig.

'Grefi a stiw?' meddai Linda. 'Syniad da. Stiw pysgod, efallai. Ond alla i ddim bwyta pysgod cregyn,' ychwanegodd. 'Mae gen i alergedd.'

Ochneidiodd Alun ac aeth at un o'r canonau a'i danio.

Roedd sŵn hisian. Ac yna seibiant. Ac yna sŵn ...

BANG!

Ac yna *plinc* wrth i belen y canon daro'r llong ryfel enfawr a disgyn i'r dŵr.

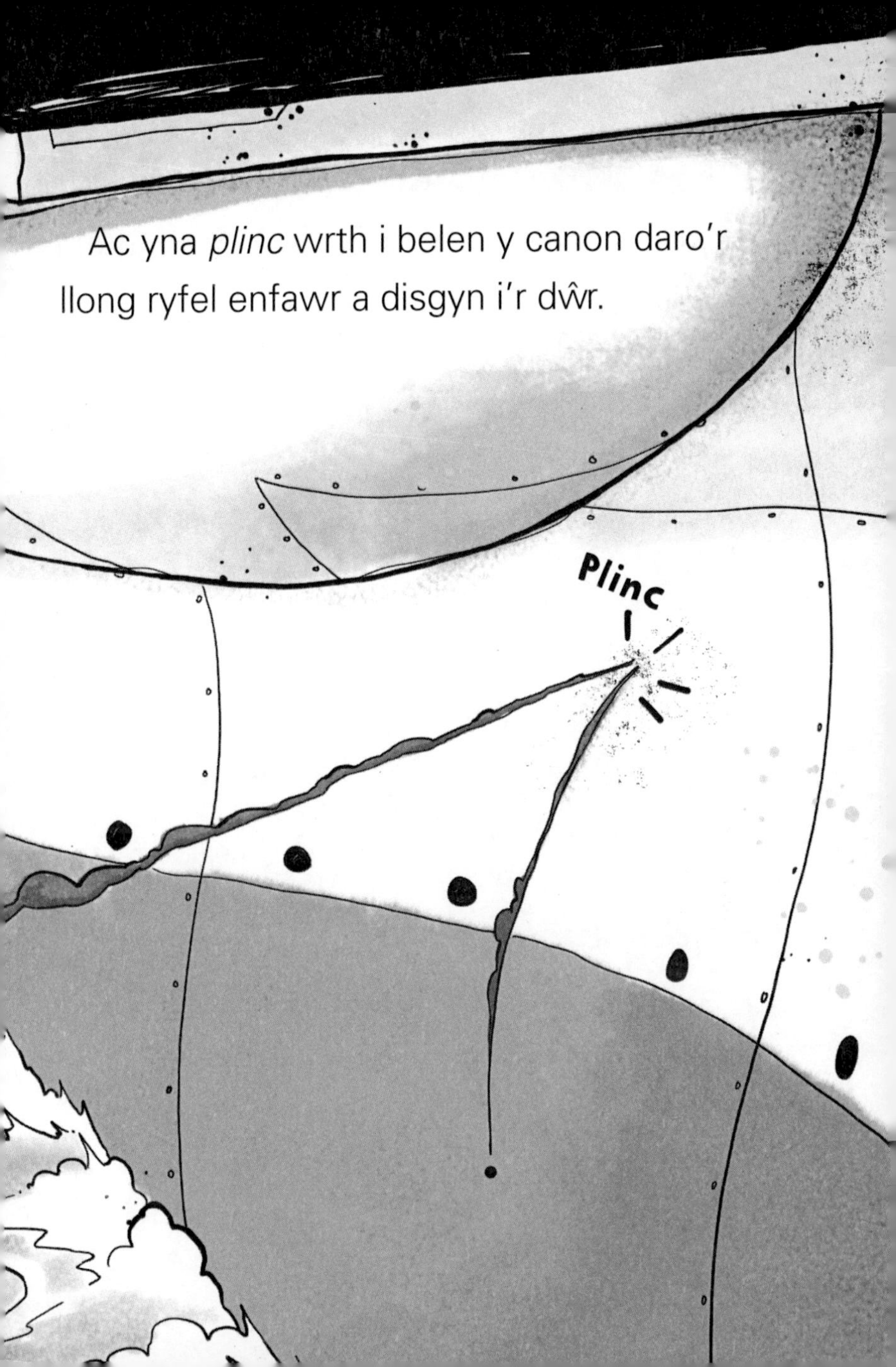

Taniodd Alun yr holl ganonau.

Plinc plinc plinc plinc plinc.

Fe drawon nhw'r llong ryfel a disgynnodd pob un belen i'r dŵr.

Trodd Alun ac edrych ar Wil.

'Wnest ti chwerthin?' gofynnodd Alun.

'Naddo,' meddai Wil.

'Ond wnest ti wenu?' meddai Alun.

'Naddo,' meddai Wil, gan ddweud y gwir.

'Mae dy lygaid di'n gwenu,' meddai Alun.

'Dwi'n credu bod gen i lygaid sy'n hoffi gwenu. Maen nhw'n gwneud ar eu pennau eu hunain,' esboniodd Wil.

'Reit. Dyna ni. Ti'n mynd i gerdded y planc!' meddai Alun.

BETH?? Cerdded y planc??

Roedd peli llygaid Wil yn boeth ac yn troi yn ei ben. Llowciodd lowc mawr, a cheisiodd ei bengliniau fynd y ffordd anghywir.

Pe bai'n cerdded y planc, byddai'n syrthio i mewn i'r dŵr ac roedd yn gas ganddo syrthio i mewn i ddŵr a gwlychu ei wyneb. Ac roedd ofn arno y byddai sgwid sboingiog yn ei fwyta mewn ffordd sboingiog iawn.

Beth oedd e'n mynd i'w wneud? Roedd am wau'r gair 'HELP' a'i hongian o'r mast.

Ond doedd dim amser ganddo i wau. A doedd dim gweill ganddo i wau. A doedd dim gwlân ganddo i wau. Doedd gwau ddim yn opsiwn. Felly, yn hytrach, dechreuodd boeni'n arw ac yna meddyliodd yn ddwys a meddyliodd mor galed nes i'w ymennydd deimlo poen sydyn. Ac yna cafodd syniad.

Darllenodd ei daflen **'Sut i Stopio Poeni'**. Roedd **rhif pump** yn dweud *'Rhannwch y peth rydych yn poeni amdano yn gamau bychain.'*

Iawn. Felly. Roedd rhaid iddo gymryd cam

ar hyd y planc, yna cam arall ar hyd y planc, yna cam arall ar hyd y planc, yna cam arall ar hyd y planc, yna cam arall ar hyd y planc, yna cam arall ar hyd y planc, yna cam arall ar hyd y planc – doedd hyn ddim wir yn helpu llawer – ac yna roedd rhaid iddo **Syrthiiiiiioooooo**, a **Syrthiiiiiioooooo** ychydig mwy, parhau i **Syrthiiiiiioooooo**, parhau i **Syrthiiiiiioooooo**, parhau i **Syrthiiiiiioooooo** – doedd hyn ddim yn helpu o gwbl – i mewn i'r dŵr ac i geg glafoeriog sgwid sboiniog a fyddai'n ei sugno'n gyfan,

Sgweltsh Sgweeeeltsh ...

STOP! Roedd meddwl am y peth yn gwneud iddo deimlo'n llawer gwaeth. Gwell iddo fwrw 'mlaen.

Cusanodd Wil Stiwart i ddweud ta-ta, a'i osod ym mwced Dot. Yna, cymerodd y bowlen bysgodyn aur o'r gist drysor a'i gwisgo ar ei ben (fel na fyddai ei wyneb yn gwlychu). Hefyd, o'i fag, gafaelodd mewn tun o sardîns (o'r picnic) i'w gynnig i'r sgwid sboiniog i'w fwyta yn lle Wil, ac agorwr tuniau i helpu'r sgwid sboiniog i agor y sardîns.

A gyda hynny, plymiodd Wil i'r dŵr, a suddo ...

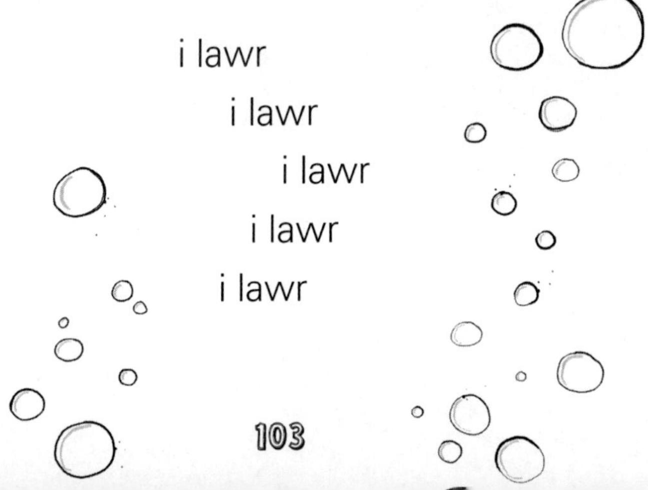

i lawr

i lawr

i lawr

i lawr

i lawr

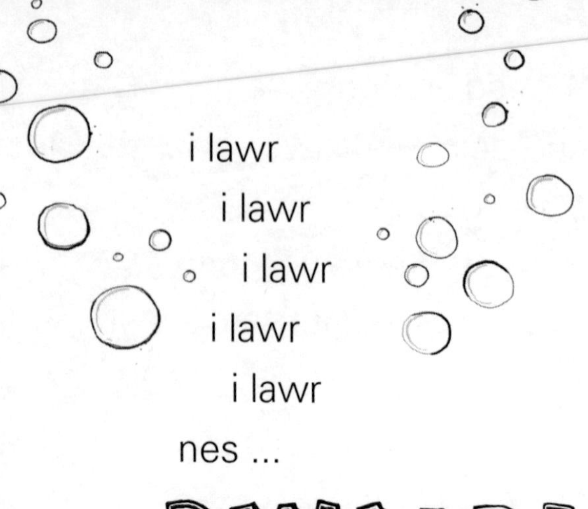

i lawr

i lawr

i lawr

i lawr

i lawr

nes ...

BWMP!

Glaniodd ar rywbeth caled. Nid sgwid sboiniog. Sgwid yn gwisgo het galed, efallai?

Gwrandawodd Wil am unrhyw synau gludiog sgwidiog.

Clywodd waedd o bell.

'Oi, cer oddi ar fy llong danfor i!' meddai'r waedd o bell.

Ac yn sydyn, teimlodd Wil ei hun yn mynd ...

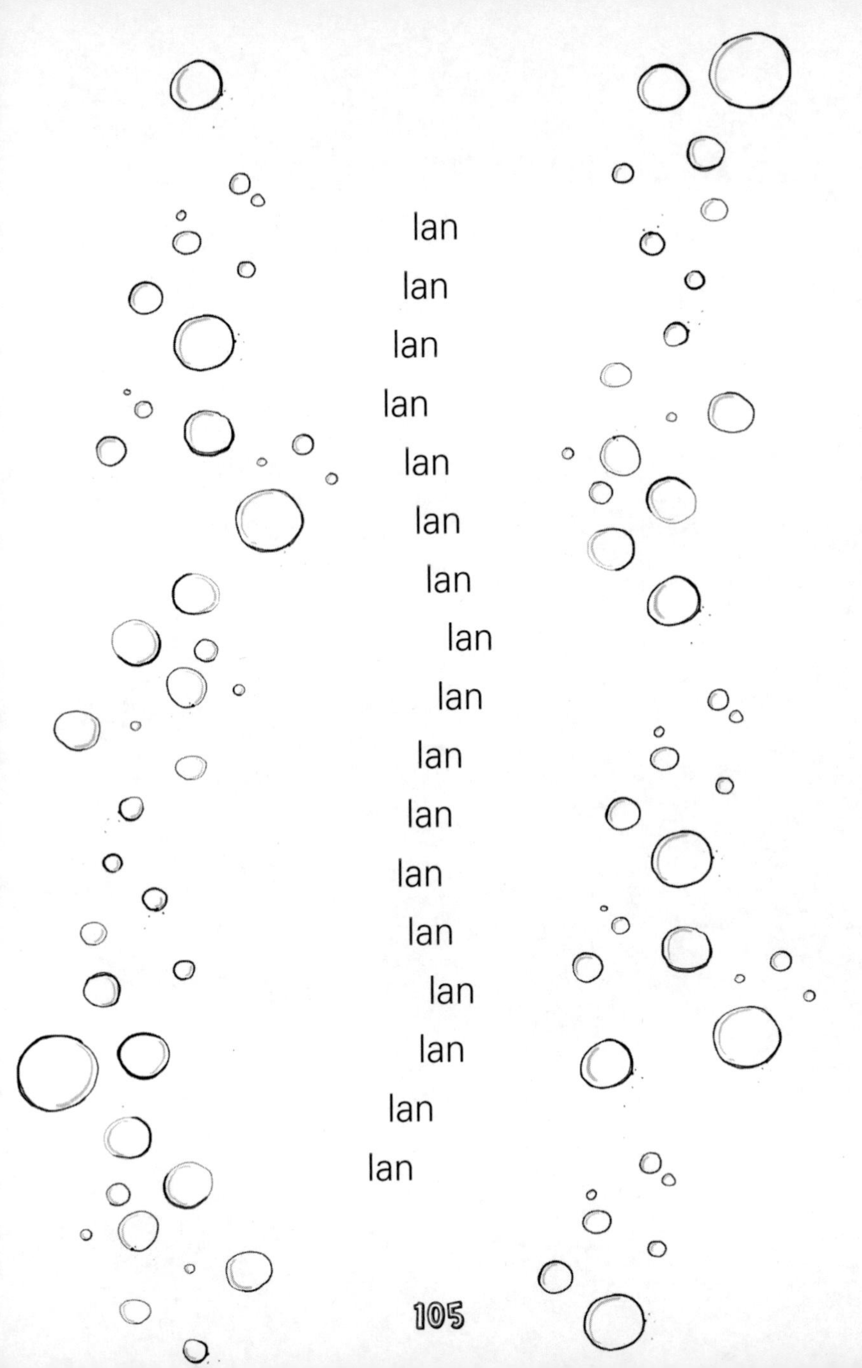
lan
lan
lan
lan
lan
lan
lan
lan
lan
lan
lan
lan
lan
lan
lan
lan
lan

nes ...

sblash-peswch-wwii.

Roedd wedi plymio o'r dŵr i'r awyr. Mewn ffordd arbennig o blymio lan. Mae'n siŵr bod gair am hynny.

Eisteddodd Wil. Mae'n debyg ei fod yn eistedd ar long danfor. Roedd synau gwichiog rhinciog yn dod o'r tu mewn, ac yna synau rhegi.

'Go drapia. Mae'r drws yn sownd. Diar diar,' meddai'r llais tu fewn i'r llong danfor. 'Wyt ti'n credu y gallet ti ei agor?' gofynnodd y llais i Wil.

'Wel, mi wna i drio,' meddai Wil. Cydiodd yn ei agorwr tuniau, ac aeth o amgylch top drws crwn y llong danfor yn ofalus iawn, a'i agor.

Wrth iddo agor, gwelodd wyneb crac iawn â mwstás mawr.

'Beth wyt ti'n credu wyt ti'n ei wneud, y twpsyn hurt?' meddai'r wyneb crac.

'Wel, ro'n i'n marw, ac fe dorroch chi ar fy nhraws i,' esboniodd Wil.

'Wel, paid â marw ar fy llong danfor i, dwi newydd ei golchi hi,' meddai'r wyneb crac.

'Pwy ydych chi?' gofynnodd Wil.

'Capten Beili at dy wasanaeth.' Saliwtiodd, gan roi ei fys yn ei lygad. 'Aw. Daro. Dwi erioed wedi meistroli hynny.'

Saliwtiodd Wil yn ôl.

'Wel, dere mewn os wyt ti'n dod. Dy'n ni ddim am i ti'n-gwybod-pwy ein gweld,' meddai Capten Beili.

Dringodd Wil i mewn i'r llong danfor a chaeodd Capten Beili'r drws. Plymiodd y llong danfor dan y dŵr gan rincio, diferu ac ochneidio.

'Beth y'ch chi'n ei wneud lawr 'ma?' meddai Wil.

'Dwi wedi bod o dan y tonnau ers saith deg pump o flynyddoedd. Dwi heb wneud rhyw lawer ers tro, ond dwi'n barod amdanyn nhw, y criw cyfrwys.'

'Pwy?' gofynnodd Wil.

'Mae'n well i ni siarad mewn cod, mae'n siŵr – rhag ofn eu bod nhw'n gwrando,' meddai Capten Beili, gan dapio'i drwyn ddwywaith.

'Ai dyna'r cod?' gofynnodd Wil. 'Tapio'r trwyn?'

'Nage, nage, roedd hwnna'n – ti'n gwybod – yn nod a winc.'

'Y cod yw nodio a wincio?' gofynnodd Wil.

'Daria, grwt, nage! Tala sylw. Iawn. Felly yn lle "rhyfel", byddwn ni'n dweud **"tidliwincs".** Iawn?'

'Iawn, syr,' meddai Wil.

'Ac yn lle dweud "Almaenwyr", byddwn ni'n dweud **"tsintsilas".**'

'Dyna ni,' meddai Wil.

'Felly mae Prydain yn chwarae **tidliwincs** gyda'r **tsintsilas** ac – aros funud,' meddai Capten Beili. 'Dwyt ti ddim yn un ohonyn nhw, wyt ti? Dwyt ti ddim ...' agorodd ei lygaid â braw, 'yn **tsintsila?**'

'Nac ydw, syr,' meddai Wil.

'A, ond dyna'n union fyddet ti'n ei ddweud. Pe byddet ti'n **tsintsila** cudd. Fyddwn ni ddim yn synnu chwaith, y creaduriaid blewog.'

Roedd Wil yn dechrau drysu.

'Dwi'n addo nad ydw i'n **tsintsila,**' meddai Wil. 'Ond hyd yn oed petawn i'n **tsintsila**, dyw Prydain ddim yn chwarae **tidliwincs** gyda'r **tsintsilas** bellach.'

'Nonsens!' gwaeddodd Capten Beili.

'Na, na, dwi'n addo. Dy'n nhw ddim wedi chwarae **tidliwincs** ers blynyddoedd,' meddai Wil.

'Beth?' meddai Capten Beili mewn llais gwichlyd. 'Wnaeth y **tsintsilas** ennill? Wnaethon nhw gipio Gwlad Pwyl a gorchfygu'r byd?'

'Naddo,' atebodd Wil. 'Mae popeth yn iawn. Mae'r cyfan ar ben. Ry'n ni gyd yn ffrindiau. Wir, mae fy nghyfnither yn Almaenes ... hynny yw **tsintsila**.'

Eisteddodd Capten Beili a meddwl yn ddwys.

'Wel y wel wel wel, beth alla i ddweud?' meddai Capten Beili. 'A dwi ddim yn gwybod beth i'w ddweud,' ychwanegodd yn drist. 'Y gêm **tidliwincs** hon oedd fy mywyd. Wn i ddim sut i wneud unrhyw beth arall.'

Dechreuodd Capten Beili wylo a dechreuodd chwythu ei drwyn yn swnllyd fel trwmped. 'Ti'n gwybod, un Nadolig, fe wnes i a'r **tsintsilas**, stopio chwarae **tidliwincs** am y tro er mwyn chwarae gêm o, wel, fel mae'n digwydd, tidliwincs.'

'Plis, peidiwch â bod yn drist,' meddai Wil.

Yna, cafodd Wil syniad.

'Achos mae rhywbeth llawer gwaeth na'r **tsintsila** yn ein hwynebu nawr,' aeth Wil yn ei flaen.

Edrychodd Capten Beili arno, hanner ffordd drwy drympedu.

'Beth wyt ti'n feddwl, grwt? Dere, dwêd wrtha i!' meddai Capten Beili'n llawn cyffro.

'Wel, Alun ...' dechreuodd Wil.

'Mewn cod, mewn cod!'

'Sori. Mae 'na ddyn o'r enw ...'

'**Deleila?**' cynigiodd Capten Beili.

'Os hoffech chi. Ac mae e'n dymuno ... **crosio gorchudd tebot**,' meddai Wil, gan roi winc ystyrlon.

Ebychodd Capten Beili. 'Na!' meddai. 'Fydde fe byth!'

'Yn anffodus, mi fyddai, syr,' meddai Wil.

'Mae hynny'n erchyll!' meddai Capten Beili.

'Dwi'n gwybod!'

'Rhaid ei stopio!'

'Rhaid, syr!'

'Jyst er mwyn i mi wybod,' meddai Capten Beili, 'am beth ydyn ni'n siarad mewn gwirionedd?'

'Mae e am ddinistrio'r byd,' esboniodd Wil.

'O, mae e, ydyw e?' gwaeddodd Capten Beili'n gandryll. 'Wel, dyw e'n amlwg ddim wedi cwrdd â Capten Beili a ... a ... beth yw dy enw di, grwt?'

'Wil,' meddai Wil.

'Wil, ife?' meddai Capten Beili. 'Yna, mi wna i dy alw di'n ...' Crafodd Capten Beili ei ên, gan geisio meddwl am enw da.

'Beth am Wil?' awgrymodd Wil.

'Ga i? Byddai hynny'n llawer haws,' meddai Capten Beili'n ddiolchgar.

'Dewch, Gapten Beili,' meddai Wil, 'i gwrso'r llong fôr-ladron!'

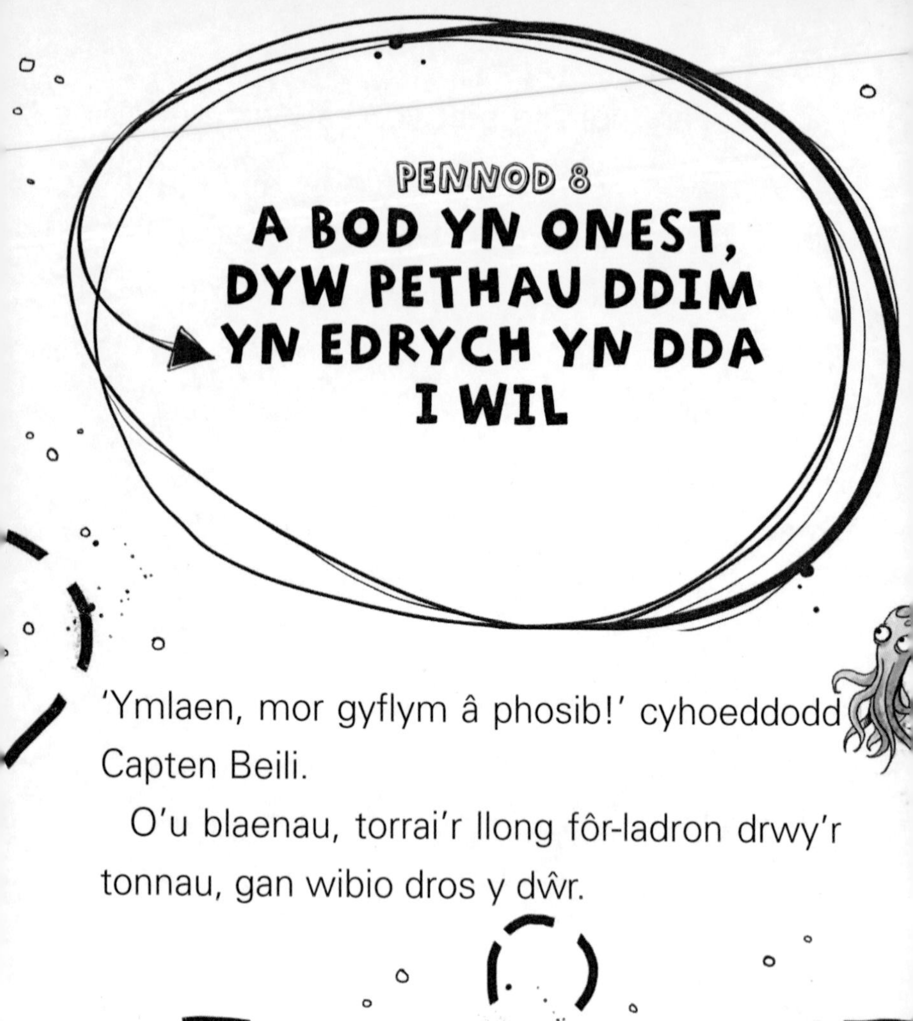

PENNOD 8

A BOD YN ONEST, DYW PETHAU DDIM YN EDRYCH YN DDA I WIL

'Ymlaen, mor gyflym â phosib!' cyhoeddodd Capten Beili.

O'u blaenau, torrai'r llong fôr-ladron drwy'r tonnau, gan wibio dros y dŵr.

A'r tu ôl iddi, ymlwybrai'r llong danfor yn ara' bach.

‘Chi’n gwybod beth ddywedoch chi am fynd mor gyflym â phosib?’ gofynnodd Wil yn ansicr. ‘Allen ni wneud hynny?’

‘Dyma ni, grwt, cydia yn dy het!’ meddai Capten Beili’n gyffrous.

Gwib gwib aeth y llong fôr-ladron.

Ling-di-long aeth y llong danfor.

Gwib gwib gwib aeth y llong fôr-ladron.

Ling-di-long-di-long aeth y llong danfor.

Gwibidi gwibidi gwib gwib gwib aeth y llong fôr-ladron.

Ling-di-long- di ling-di-long-long-long aeth y llong danfor.

'Rhaid i ni frysio, neu bydd **Deleila** wedi **crosio'r gorchudd tebot** cyn i ni gyrraedd,' meddai Wil yn betrus. 'A hefyd, mae fy chwaer a fy ffrind gorau ar y llong, ac mae'n rhaid i ni eu hachub!' Aeth llais Wil yn sigledig ac roedd rhaid iddo fynd i edrych ar gyfarwyddiadau dianc ar wal y llong danfor, fel pe bai ganddo ddiddordeb mawr ynddyn nhw.

'Paid â phoeni. Mae'n edrych fel pe bai'r llong fôr-ladron yn teithio mewn cylchoedd,' meddai Capten Beili. 'Amser codi'r perisgop!' cyhoeddodd.

Ac yna trodd ddolen wichiog arall.

Edrychodd Wil drwy'r perisgop. Roedd Capten Beili yn llygad ei le! Mi oedd y llong fôr-ladron yn teithio mewn cylchoedd. Ac roedden nhw'n agosáu ati!

Gallai Wil weld Alun a Dai Pawb yn ymladd

dros y llyw mawr pren ar y llong fôr-ladron. Gerllaw, roedd Llew Un Llygad yn dysgu Mr a Mrs Cyfaill i blygu napcynau ar siâp alarch.

'Llong fôr-ladron am ein taro mewn munud!' meddai Wil yn gyffrous.

'O, byddwn ni'n ei tharo hi'n llawer cynt na hynny,' meddai Capten Beili.'

CLAAAAAAAAANNNNNNNNNNGGGGG aeth y llong danfor wrth iddi daro'r llong fôr-ladron.

'Ti'n gweld?' meddai Capten Beili.

Dringodd Wil a Chapten Beili ar fwrdd y llong fôr-ladron, mor chwim ac mor dawel â phâr o wiwerod mawr chwim a thawel. Y peth cynta welodd Wil oedd Dot yn cnoi ei rhaw yn llawen.

'Dwi mor falch o dy weld di!' meddai Wil wrth Dot, gan ei chusanu a gadael darn glân ar ei boch.

'A dwi'n mor falch o dy weld di hefyd, Stiwart!' meddai Wil, gan gusanu Stiwart.

Stopiodd Wil i edrych ar Stiwart.

'Ti'n edrych yn olygus iawn heddiw,' sylwodd Wil. 'Wyt ti wedi sgleinio dy gragen? Wyt ti wedi cribo dy deimlyddion? Beth sy'n digwydd?'

Cochodd Stiwart. Yna chwarddodd ag embaras. Yna gwenodd o deimlydd i deimlydd. Ac yna ymddangosodd pry pren bach o dwll ar y llong, cropian draw at Stiwart, a chydio'n swil yn un o'i ddwylo.

'Wyt ti wedi dod o hyd i ffrind arbennig? gofynnodd Wil.

Nodiodd Stiwart.

'Y pry pren prydferth yma?'

Chwarddodd a chochodd Stiwart a Wendi (y pry pren).

'Wel, dwi'n hapus iawn drosoch chi'ch dau,' meddai Wil.

'CIPIWCH E!' bloeddiodd Alun, wedi gweld Wil.

'*Dipiwch* e?' gofynnodd Linda.

'Cipio,' cywirodd Alun.

'*Chwipio?*' gofynnodd Linda.

'Cipio,' meddai Alun yn uchel.

'Cuddio?' meddai Linda.

'Oes unrhyw un yn fan hyn yn mynd i **gipio'r** bachgen 'na?' gofynnodd Alun.

'Ry'n ni braidd yn brysur gyda'n napcynau alarch ar hyn o bryd,' meddai Mr a Mrs Cyfaill.

'A dwi'n dysgu sut i ddawnsio gwerin,' meddai Dai Pawb.

'Beth amdanoch chi, fôr-ladron?' gofynnodd Alun.

'Ti a mi yn dawnsio, dawnsio, dawnsio chwyrlio ...' canodd y môr-ladron, gan eu bod nhw wrthi'n canu carioci.

'Tra ydyn ni'n aros i rywun fy nghipio,'

meddai Wil, 'hoffwn gyflwyno fy ffrind newydd, Capten Beili. Capten Beili, dyma Alun.'

'**Deleila**. mae'n bleser cwrdd â chi. Dwi 'di clywed llawer amdanoch chi,' meddai Capten Beili.

Roedd Alun wedi drysu.

'Achubodd Capten Beili fy mywyd,' esboniodd Wil.

'Anghredadwy!' meddai Alun. 'Ond mae'n siŵr ei fod yn beth da dy fod ti 'nôl, gan fod gen i gynllun newydd.'

'Ai'r cynllun yw anghofio'r cyfan a chael gêm dda o tidliwincs?' gofynnodd Capten Beili. 'Hynny yw, tidliwincs go iawn, nid **tidliwincs**,' esboniodd.

'Nage. Mae'n gynllun dieflig i gael y canon mwyaf yn y byd ac yna ei danio at y byd a'i suddo. Fi yw'r dyn gwaethaf, gwaethaf, gwigli gwogli gwaethaf yn y byd-i-wyd i gyd yn grwn,' meddai Alun yn falch.

'Ond, Deleila, o ble gei di'r canon mwyaf yn y byd?' gofynnodd Capten Beili.

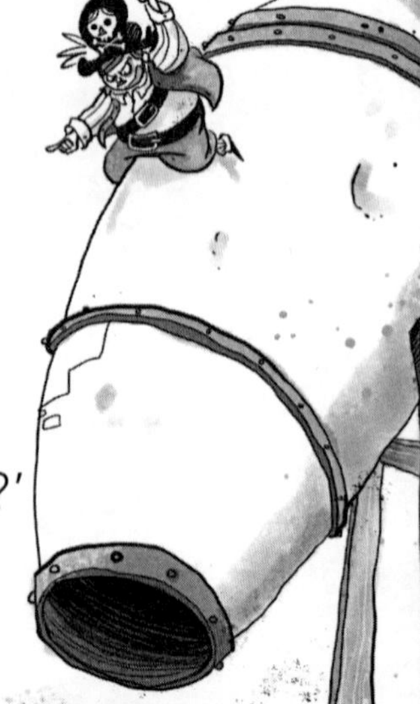

'Dwi ddim yn siŵr. Beth sydd ei angen arna i yw betingalw enfawr hir metel siâp silindr. Rhywbeth fel ...' Edrychodd Alun o'i gwmpas am syniadau.

Yna gwelodd y llong danfor.

'Eich llong danfor chi!' meddai.

'Na!' llefodd Capten Beili.

'Ie!' llefodd Alun.

'Fyddech chi ddim yn mentro!' llefodd Capten Beili.

'Byddwn!' llefodd Alun.

'Allech chi ddim mentro!' llefodd Capten Beili.

'Gallwn!' llefodd Alun.

'Ddylech chi ddim mentro!' llefodd Capten Beili.

'Dylwn!' llefodd Alun.

'Rhaid i chi fentro!' llefodd Capten Beili.

'Does dim rhaid i mi fentro,' llefodd Alun.

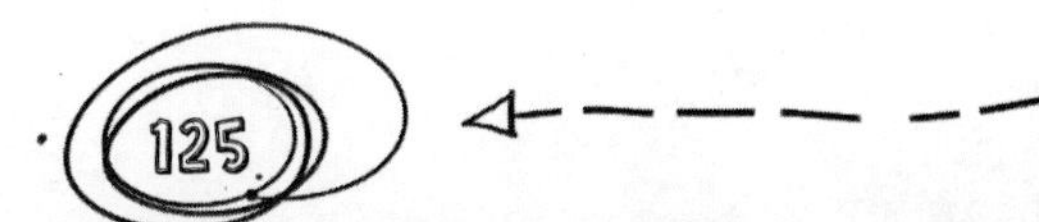

'Mi wnewch chi fentro!' llefodd Capten Beili.

'Na wna i!' llefodd Alun. 'O, arhoswch. Un funud. Awn ni gam 'nôl. Ry'n ni 'di drysu.'

'Dy'n ni ddim!' llefodd Capten Beili.

'Ydyn, mi ydyn ni!' llefodd Alun. 'Arhoswch funud, chi sy'n dweud bod dim rhaid i mi fentro, a fi sy'n dweud bod rhaid i mi fentro.'

'Fy ffrind annwyl, ry'ch chi yn llygad eich lle. Mae'n ddrwg gen i,' meddai Capten Beili. 'Ddylen ni ddechrau eto?'

'Does gen i ddim amser, wir,' meddai Alun. 'Mae gen i lawer i'w wneud. Mae'n rhaid i mi lifio dau ben eich llong danfor chi i ffwrdd er mwyn creu canon ENFAWR.'

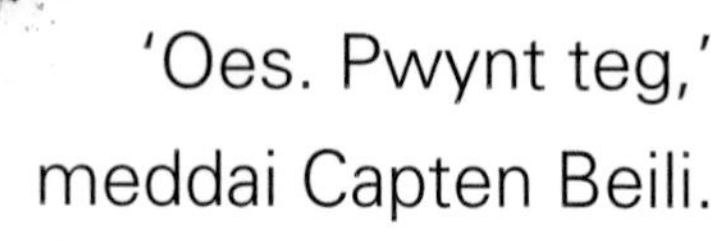

'Oes. Pwynt teg,' meddai Capten Beili.

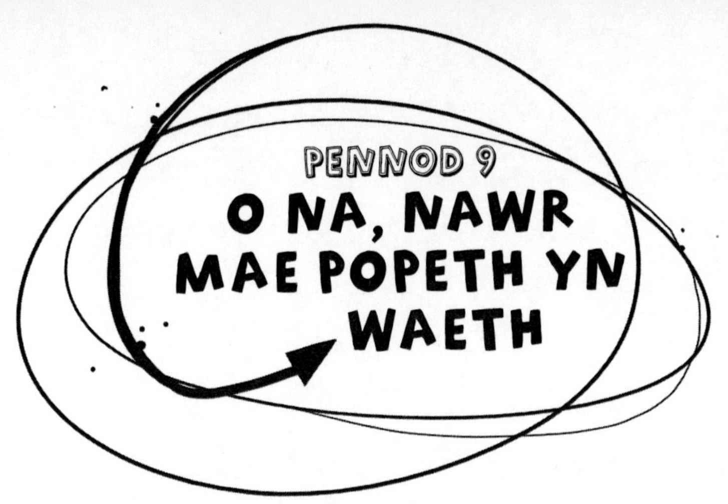

PENNOD 9
O NA, NAWR MAE POPETH YN WAETH

Wel, dwn i ddim pa mor aml rwyt ti wedi ceisio llifio dau ben llong danfor i ffwrdd, ond mae'n waith reit galed. Oni bai, hynny yw, fod robot wrth law.

'LRCh2FL309fersiwn8.4marcIII!' galwodd Alun.

'LRCh2FL309fersiwn8.4marcIII!' galwodd Alun eto.

'Mark III!' sgrechiodd Alun.

Bowndiodd y robot i'r dec. 'Beth?' gofynnodd hi.

'Mae'n rhaid i ti wneud rhywbeth i fi,' meddai Alun.

'Fedra i ddim. Dwi ddim yn teimlo'n dda,' meddai Marc III.

'Beth sy'n bod?' gofynnodd Alun, yn bryderus.

'Dwi'n flinedig,' meddai Marc III.

'Ti wedi bod yn cysgu ers tair wythnos!' ebychodd Alun yn flin.

'A dwi'n teimlo'n dost,' ychwanegodd Marc III.

Gosododd Alun ei law ar ben sgleiniog Marc III.

'Mae dy dalcen di'n reit gynnes,' cyfaddefodd Alun.

'Ti'n gweld? Dwi'n dost!' cwynodd Marc III.

'Aros funud. Galla i arogli olew ar dy anadl.

Wyt ti wedi bod yn yfed olew?' gofynnodd Alun.

'Naddo. Efallai. B-beth os ydw i?' meddai Marc III.

'Dywedais i wrthot ti am beidio ag yfed gormod o olew! Dyw e ddim yn dda i ti!' meddai Alun.

'Ond mae fy ffrindiau i gyd yn gwneud,

a ta waeth, wnes i ddim yfed gormod a ta beth alli di ddim dweud wrtha i beth i'w wneud!' meddai Marc III.

'Gallaf wir,' mynnodd Alun, 'gan mai fi wnaeth dy ddyfeisio di a fi wnaeth dy adeiladu di a fi wnaeth dy raglennu di i wneud popeth dwi'n ei ddweud, felly nawr, os nad yw'n ormod o drafferth, hoffwn i ti lifio'r ...'

'Dwi'n mynd i chwydu!' wylodd Marc III cyn i Alun allu gorffen ei frawddeg, a charlamodd i lawr y grisiau yn ôl i'w hamog.

Ochneidiodd Alun.

'Dwi 'mond yn chwilio am rywun i lifio dau ben y llong danfor i ffwrdd,' meddai Alun yn drist. 'Ydy hynny'n ormod i'w ofyn?'

'Ai gêm yw hi?' gofynnodd Mrs Cyfaill.

'Nage!' poerodd Alun.

'Oes timau?' gofynnodd Mr Cyfaill.

'Nac oes!' poerodd Alun.

'Oes gwobr?' gofynnodd Mrs Cyfaill.

'Nac oes!' poerodd Alun. 'Hynny yw, oes. Oes, mae gwobr. A'r wobr yw ... y wobr yw ... hamper,' meddai, yn falch ohono'i hun.

'Www, hamper!' meddai'r Cyfeillion, a rhedeg at ben y llong danfor a dechrau llifio.

A dim ond deunaw awr yn ddiweddarach,

roedd Mrs Cyfaill wedi ennill a hawlio'r 'hamper', sef gweddill picnic Wil.

'Beth sy'n digwydd nesaf?' gofynnodd Wil yn bryderus.

'Syml. Ry'n ni'n dod o hyd i losgfynydd, yn toddi llwyth o fetel, ac yn adeiladu pelen ganon fwya'r byd. Mae'n amlwg, on'd yw e?' meddai Alun.

'Ddim mor amlwg â hynny, nag yw,' meddai Wil.

'Iawn. Cwestiwn i chi,' meddai Alun. 'Ble mae 'na losgfynydd?'

'Ww, yw hi'n noson gwis?' gofynnodd Mr Cyfaill.

'Oes gwobr?' gofynnodd Mrs Cyfaill.

'Dwi ddim mor dda ar gwestiynau daearyddiaeth – allech chi wneud mwy am gerddoriaeth bop yr wythdegau?' meddai Mr Cyfaill.

'Mae'n rhaid i mi gael gwybod ble mae 'na losgfynydd,' meddai Alun yn ddiamynedd.

'Mae cwestiwn gwell gen i,' meddai Dai Pawb. 'Pwy ganodd "Byw Mewn Bocsys"?'

'W, w, dwi'n gwybod,' meddai Mr Cyfaill yn frwd. 'Ife Sobin a'r Smaeliaid?'

'Cywir! Ac am bwynt bonws,' aeth Dai Pawb yn ei flaen, 'beth oedd enw ...'

'Allwn ni GANOLBWYNTIO?' gwaeddodd Alun. 'Mae'n rhaid i mi gael gwybod ble mae 'na losgfynydd – ar unwaith!'

Atebodd neb.

'Dewch 'mlaen! Rhaid eich bod chi'n gwybod!' mynnodd Alun.

'Iawn, iawn. Mae gwobr ariannol,' ochneidiodd Alun, gan ildio.

'Hawäi!' meddai Mrs Cyfaill.

'Www, da iawn,' meddai Mr Cyfaill.

'Ydw i wedi ennill? Faint yw'r wobr?' gofynnodd Mrs Cyfaill yn gyffrous.

Chwiliodd Alun drwy ei bocedi.

'Dwy bunt a saith deg tair ceiniog, botwm, taffi meddal ac ychydig o fflwff.'

'Hwwrêêê!' meddai Mrs Cyfaill.

'Mae'n fusnes drud bod yn fôr-leidr,' cwynodd Alun. 'Iawn, pa ffordd mae Hawäi?'

'Dwi'n gwybod,' crawciodd Linda, 'gan fy mod wedi hedfan i bob rhan o'r byd. Dwi fel system lywio lloeren bersonol.'

'Perffaith!' meddai Alun. 'Yna cer â ni i Hawäi, plis!'

'Dim problem,' meddai Linda. 'Dwi'n gwybod am ffordd gyflym iawn.'

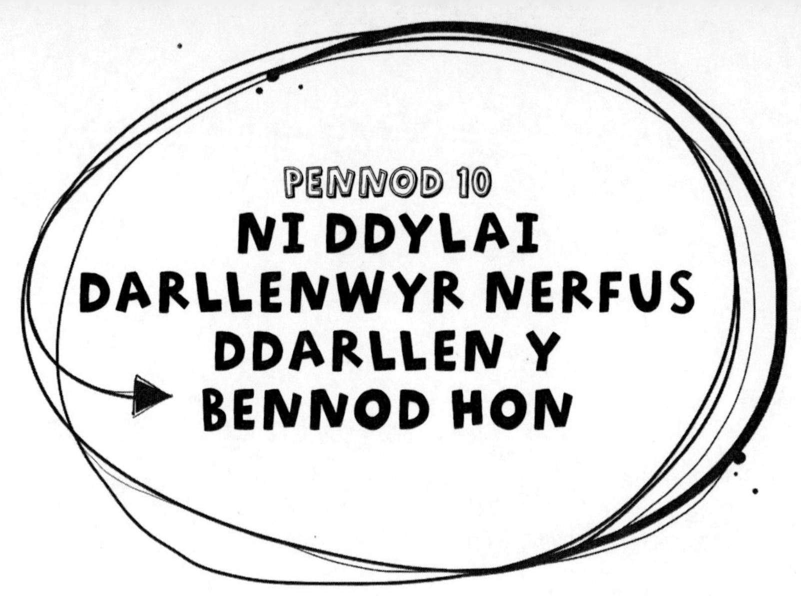

PENNOD 10
NI DDYLAI DARLLENWYR NERFUS DDARLLEN Y BENNOD HON

Llawer, llawer yn ddiweddarach ...

'Ry'n ni wedi pasio'r darn yna o wymon ddeunaw o weithiau!' gwaeddodd Alun, gan neidio o un droed i'r llall mewn rhwystredigaeth.

'Ewch i'r gogledd am gan metr, ac yna trowch i'r chwith wrth y morfil nesaf,' meddai Linda.

'Alla i ddim troi i'r chwith. Mae darn mawr o dir yn y ffordd,' gwaeddodd Alun yn gandryll.

'Trowch i'r dde, wyth milltir forol yn ôl,' meddai Linda.

'Y parot twp!'

'Gwnewch dro pedol cyn gynted â phosib,' meddai Linda.

'Dyna ni. Dwi ddim am wrando arnat ti mwyach!' gwaeddodd Alun.

'Ry'ch chi wedi cyrraedd diwedd y daith,' meddai Linda. 'Dyma ddiwedd eich cyfarwyddiadau,' ychwanegodd. Ac yna caeodd ei llygaid ac aeth i gysgu.

Safodd Wil ar y dec ac edrych o'i amgylch. Roedd Hawäi'n wahanol i'r hyn roedd wedi'i ddychmygu. Roedd yno fynyddoedd iâ enfawr, moroedd wedi rhewi a phlu eira anferth yn disgyn o'r nen. Ble roedd y môr gwyrddlas a'r coed palmwydd a'r cnau coco?

'Nid Hawäi yw hwn!' meddai Alun.

O! Mae hynny'n esbonio'r peth, meddyliodd Wil.

'Ble rydyn ni?' gofynnodd Alun.

Ceisiodd pawb edrych yn brysur gan nad oedden nhw'n gwybod yr ateb.

'Ti, grwt!' meddai Alun.

'Fi?' gofynnodd Wil.

'Ie, ti. Dringa i nyth y frân i weld a wyt ti'n gallu gweld Hawäi.'

'Pam fod nyth i frân ar gwch?' gofynnodd Wil, wedi drysu.**'Nid nyth brân go iawn, y twmffat!'** bloeddiodd Alun. **'Dyna mae môr-ladron yn ei alw. Platfform yw e, i fôr-ladron allu gweld o ben ucha'r mast tal tal talaf.'**

Dechreuodd clustiau Wil losgi. Ac yna llyncodd yn uchel dair gwaith yn olynol, cyn hanner llyncu a llowcio. Yna aeth ei lygaid yn niwlog. Aeth un ben-glin y ffordd anghywir, ac aeth un ben-glin y ffordd gywir, fel petai Wil ar fin plygu yn ei hanner.

'Dere 'mlaen. Brysia,' meddai Alun.

Ni symudodd Wil. Ti'n gweld, mae ofn uchder ar Wil. Ofn mawr. Yn wir, roedd yn gobeithio na fyddai'n tyfu'n dalach gan ei fod yn poeni y byddai'n llewygu pe bai'n dalach na phedair troedfedd.

Beth allai ei wneud? Roedd am redeg ac roedd am guddio ac roedd am orwedd ar y llawr a bod mor isel â phosib.

Ond doedd dim amser ganddo i wneud dim byd o'r fath. Felly, dechreuodd boeni'n arw ac yna meddyliodd yn ddwys ac yna meddyliodd mor galed fel bod angen gwyliau ar ei ymennydd. Ac yna cafodd syniad.

Darllenodd ei daflen **'Sut i Stopio Poeni'**.

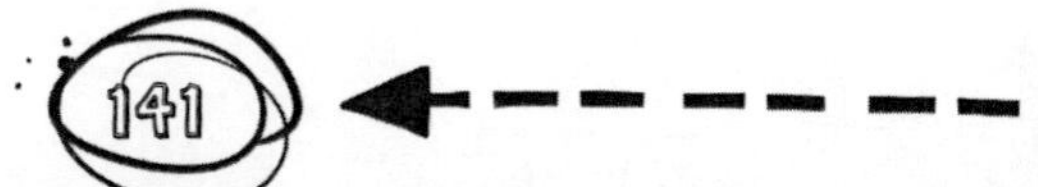

Roedd **rhif chwech** yn dweud, '*Gall cwpanaid o de camomeil eich helpu i dawelu eich meddwl.*' Efallai y dylai Wil roi cynnig ar hynny? Ond mae camomeil yn flodyn, ac mae blodau'n peri i Wil disian a gwichian, a fyddai hynny ddim yn tawelu ei feddwl. Hefyd, dyw Wil DDIM yn hoff o de. Mae'n gwneud iddo deimlo'n ych-a-fi. Ac mae te'n dwym iawn ac mae ofn ar Wil y bydd yn llosgi ei hun ac yn llosgi ei dafod. Y tro diwethaf i Wil roi cynnig ar de, aeth i lawr y ffordd anghywir, gan wneud i Wil dagu a pheswch a phoeni. Yn waeth na dim, doedd ganddo ddim cwpan, felly byddai'n rhaid iddo ddefnyddio cwpan y gallai rhywun arall fod wedi'i defnyddio'n barod gan lafoeri drosti i gyd. **Ych ych ych!** Penderfynodd Wil y byddai'n well ganddo ddringo i nyth y frân na chael cwpan o hen de ych-a-fi llosgedig twym tisianog llawn poer.

Agorodd ei fag a thynnu menig rwber allan ohono gan y bydden nhw'n dda i ddal gafael yn rhywbeth, ac felly'n dda i ddringo'r mast (mae'n cario ei fenig rwber i BOBMAN). Hefyd, benthycodd y côn o wddf Kevin Phillips gan y byddai'n ei stopio rhag edrych i lawr a gweld pa mor uchel oedd e. (Roedd Kevin Phillips wrth ei fodd gyda hyn gan ei fod yn golygu y gallai ei ddannedd gael gafael yn ei ben-ôl unwaith eto.) Yna, rhag ofn i'r gwaethaf ddigwydd a bod Wil yn marw o fraw, ysgrifennodd ewyllys, gan ddweud:

Rhaid i fy holl eiddo gael ei rannu rhwng Dot a Stiwart.

Llofnodwyd: Wil

Yna cerddodd tuag at y mast a dechreuodd ddringo, gan grynu a sgramblo.

Wrth iddo ddechrau ar y sgrambl sgramllyd, crafodd ei ben-glin. A dim ond dwy ben-glin oedd ganddo (sef y nifer arferol, am wn i), felly roedd llawer o grafiadau ar bob pen-glin.

Wrth iddo sgramblo a sgramblo, anadlai'n gyflym mewn panig – a gan fod ei ben mewn côn, roedd yn gwneud sŵn UCHEL oherwydd yr ADLAIS.

Hwff pwff, hwff pwff, hwff pwff, pwff.

Yna clywodd sŵn gwahanol. Nid sŵn anadlu. Nid pen-glin yn cael ei chrafu. Nid menig rwber yn gwichian. Sŵn tebycach i ...

Crawc.

Dyna fe eto! Glywaist ti?

Crawc.

Ac eto! Beth oedd e?

Crawc.

Roedd yn swnio'n agosach.

Crawc!

Roedd yn swnio fel aderyn. Efallai ...

CRAWC CRAWC CRAWC CRAWC CRAWC CRAWC!

. . . brân.

'Aaaaaa!' meddai Wil, wrth iddo gyrraedd nyth y frân ar dop y mast.

'Crawc!' meddai'r frân.

'Beth sy'n digwydd?' gwaeddodd Alun, yn bell o dan Wil.

'Mae 'na frain yma wedi'r cyfan!' gwaeddodd Wil.

'Beth wyt ti'n feddwl? Ydyn nhw wedi gwneud nyth yn nyth y frân?' gwaeddodd Alun.

'Nac ydyn,' meddai Wil.

Cyn iddo allu dweud dim mwy, cymerodd un o'r brain y côn o ben Wil, a chymerodd y llall yr ewyllys o law Wil a'i malu.

Llenwon nhw'r côn â'r papur, a dringo i mewn, gan edrych yn glyd iawn.

'Ydyn, erbyn hyn,' meddai Wil. 'Maen nhw wedi gwneud nyth.'

Y foment honno, hedfanodd Linda i fyny, a glaniodd ar ben Wil.

'Hoffet ti i fi gyfieithu?' cynigiodd Linda.

'O, plis!' meddai Wil. 'Allet ti ddweud wrthyn nhw nad yw Alun am iddyn nhw fod yn nyth y frân?'

'Wrth gwrs,' meddai Linda.

'DYW ALUN DDIM AM I CHI FOD YN NYTH Y FRÂN!'

gwaeddodd.

'Wnest ti ddim ond ailadrodd beth ddywedais i, ond yn uwch,' nododd Wil.

'Dyna sut mae siarad ieithoedd eraill,' esboniodd Linda.

'Ro'n i'n gobeithio y byddet ti'n siarad Iaith Adar,' meddai Wil, 'gan dy fod ti'n aderyn.'

'O, mi ydw i. Ydw. Yn sicr. Hynny yw, dwi ddim wedi gwneud hynny ers sbel. Ond mi wna i roi cynnig arni.'

'Diolch,' meddai Wil.

'Crawc crawc Alun crawc crawc ddim lico chi crawc crawc yn y nyth. Crawc,' meddai Linda.

Syllodd y brain ar Linda.

'Dwi ddim yn credu iddyn nhw ddeall,' meddai Wil.

'Crawc crawc chi crawc crawc gadael nawr crawc crawc.'

Roedd y brain yn dal i syllu.

'Crawc crawc chi ta ta crawc crawc,' meddai Linda

Syllodd y brain ar ei gilydd, gan godi eu hysgwyddau.

'Wyt ti'n bendant yn siarad Iaith Brain?' gofynnodd Wil yn amheus.

'Ydw ydw. Hynny yw, dwi'n deall mwy na dwi'n ei siarad, ond –'

'Crawc crawc crawc,' meddai un o'r brain.

'Beth ddywedodd hi?' gofynnodd Wil.

'Ym ... rhywbeth am fochyn daear. Neu cyrri. Neu efallai lorri laeth. Mae'n siarad yn gyflym dros ben.'

'Crawc crawc crawc!' meddai'r frân gyda mwy o frys.

'Ym, dwi'n credu ei bod hi am brynu stamp. Neu logi car. Neu efallai fynd i amgueddfa.'

'CRAWC CRAWC CRAWC!' sgrechiodd y frân.

'Mae'n dweud 'mod i'n brydferth iawn.

Ac yn glyfar. Ac yr hoffai dreulio mwy o amser gyda fi –'

'CRAWC CRAWC CRAWC!'

sgrechiodd y frân, gan ysgwyd ei hadenydd yn grac fel bod raid i Wil a Linda symud o'r ffordd, gan ysgwyd yn beryglus ar dop y mast.

'Wyt ti'n credu ei bod hi'n dweud nad yw hi'n gadael ac ei bod am i ni adael yn lle hynny?' gofynnodd Wil.

'Mae hynny'n bosib,' cyfaddefodd Linda.

Aeth Wil i lawr y mast yn gyflym gan lithro a sgramblo a cholli ei wynt, gyda Linda'n siglo 'nôl a mlaen ar ei ben.

'Y peth yw,' esboniodd Wil i Alun, 'nyth y frân yw enw'r peth, a brain ydyn nhw, felly gallwch chi weld pam fod camddealltwriaeth wedi digwydd ...'

'Na. Sori. Dyw hyn ddim yn ddigon da. Dwi'n mynd i'w taflu nhw mas,' meddai Alun, a dechreuodd ddringo'r mast gan hwffian a phwffian. Doedd e ddim wedi dringo mwy na metr pan ddaeth **'crawc'** o'r pellter a 'sblat' gerllaw. Stopiodd Alun.

'Oes brân wedi baeddu ar fy mhen?' gofynnodd Alun yn dawel.

'Nac oes, nac oes,' meddai Wil i'w gysuro. 'Wel, efallai ychydig bach. Ond ddim digon i sylwi arno.'

'Pen pŵ, pen pŵ, pen pŵ, pen pŵ,' canodd Dot yn llawen.

'Dim ond ychydig,' cyfaddefodd Wil.

'Pen pŵ, pen pŵ, pen pŵ mawr,' aeth Dot yn ei blaen.

'Hoffech chi hances?' cynigiodd Wil.

'Hoffwn, plis,' meddai Alun.

'Mi af i nôl un. Maen nhw yn fy mag,' meddai Wil, ac aeth i chwilio am hances.

Yn sydyn, stopiodd Alun a syllu i'r pellter.

'Aros funud! Wyt ti'n gweld beth dwi'n ei weld?' gofynnodd Alun yn gyffrous.

'Pŵ ar y pe-en, pŵ ar y pe-en,' atebodd Dot.

'Nid hwnna, nage,' meddai Alun. 'Hwnna!' Pwyntiodd i'r pellter. 'Llosgfynydd!'

Dychwelodd Wil gyda'i hances, a glanhaodd Alun ei ben.

'Llosgfynydd, llosgfynydd! Rhaid ein bod ni yn Hawäi wedi'r cyfan!'

'Neu Wlad yr Iâ,' meddai Mrs Cyfaill. 'Mae un yn fan'no hefyd. Ga i bwynt bonws am wybod hynny?'

'Na chewch. Cewch chi fy ngwylio i'n adeiladu'r belen ganon fwyaf yn y byd ac yna'n ei thanio a suddo'r byd a phawb sydd ynddo. **Ha ha ha ha ha ha!'** meddai Alun.

'Pam **ha ha ha ha**,' Dwi ddim yn deall y jôc,' meddai Dai Pawb.

'Nid jôc oedd hi, ond chwerthiniad dieflig, gan mai fi yw'r dyn gwaethaf, gwaethaf, gwigli gwogli gwaethaf yn y byd-i-wyd i gyd yn grwn! Ac yn fuan, cewch chi i gyd eich

DINISTRIO!

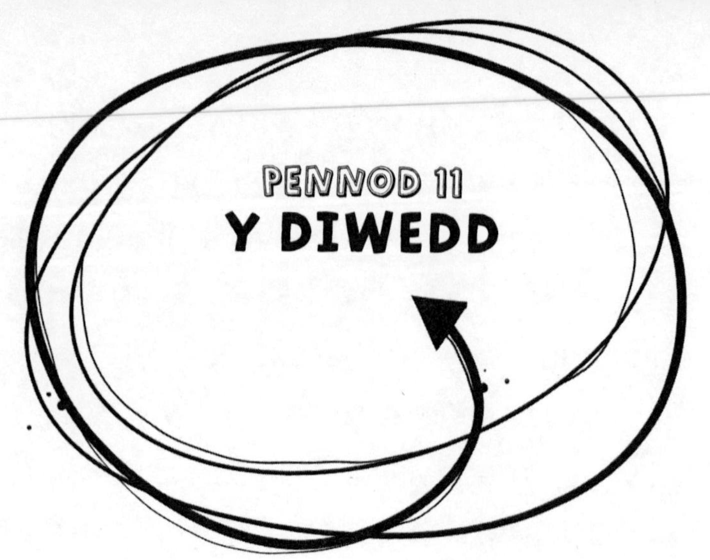

PENNOD 11
Y DIWEDD

O naaaaaaaaaaaaaa!

Heeeeeeeeelp! Ry'n ni i gyd yn mynd i gael ein dinistrio! Rhaid dianc ar unwaith! Mae ofn arna i!

Alla i ddim dioddef gweld beth sy'n digwydd nesaf!

Dwi'n gwybod. Wna i ddim edrych. Yn lle hynny mi wna i syllu ar y blodyn hyfryd yma. Edrycha ar y blodyn hyfryd. Am flodyn hyfryd. Dwi'n hoff iawn o flodau hyfryd.

Beth? Fi yw'r storïwr, a dwi i fod i ddweud wrthot ti beth sy'n digwydd? Dyna fy swydd i?

Ga i ddweud wrthot ti am y blodyn yn hytrach nag adrodd yr hanes wrthot ti?

Twt.

Iawn.

Mi wna i sbecian rhwng fy mysedd.

Iawn, dwi wedi cael golwg sydyn, ac alla i ddim gweld llawer. Dim ond betingalw mawr metel. Felly mae'n siŵr fod popeth yn iawn.

Beth?

Mae'n rhaid i fi edrych go iawn?!

Wel, mae'r busnes yma o fod yn storïwr yn beth anodd. Yr holl beth o edrych a dweud a gorfod disgrifio drwy'r amser.

Iawn, 'te. Mi wna i edrych go iawn.

Aros funud ...

Aaaaaaaa!

Dwi wedi edrych, ac mae'n erchyll! Wyt ti'n siŵr dy fod ti am i mi ddweud wrthot ti? Iawn, os wyt ti'n mynnu. Wel, tra oeddet ti'n fy ngorfodi i i edrych ar y blodyn twp 'na, aeth Alun a dwyn pont. Ie, pont. Fe wnaeth e ddwyn pont fawr fetel am ei fod yn dymuno ei

Smwsho

yn y llosgfynydd i greu pelen ganon fwya'r byd.

'Dratia bopeth, Deleila, fedrwch chi ddim smwsho pontydd ym mhobman,' meddai Capten Beili. 'Ry'ch chi'n waeth na'r tsintsilas pan roedden nhw'n chwarae tidliwincs.'

'Does gen i ddim syniad am beth ry'ch chi'n siarad,' meddai Alun.

'A bod yn onest, na finne chwaith bellach,' cyfaddefodd Capten Beili.

'Iawn, gyfeillion,' meddai Alun. 'Gadewch i ni lusgo'r bont i'r llosgfynydd. Yna gallwn ni ei thoddi a'i throi yn belen ganon.'

Ond dywedodd Heulyn Hallt ein bod ni'n mynd i ddysgu trefnu blodau,' meddai Mr a Mrs Cyfaill.

'Mae'r trefnu blodau wedi'i ganslo. Smwsho pontydd yw gweithgaredd y prynhawn 'ma.'

'Oes 'na –' dechreuodd Mrs Cyfaill.

'Oes! Mae 'na wobr!' meddai Alun yn ddiamynedd. 'Y wobr yw ...' Edrychodd o'i gwmpas am ysbrydoliaeth. 'Ym ... y wobr yw ... Ym ... Gadewch i fi feddwl, rhywbeth i'r enillydd ...'

'Crwban i'r llyfrgellydd?' meddai Linda.

'Rhywbeth i'r enillydd,' meddai Alun.

'Rwber a llifogydd?' gofynnodd Linda.

'Gwobr i'w hennill,' meddai Alun.

'Glaw mis Ebrill?' gofynnodd Linda.

'Parot yw'r wobr!' meddai Alun.

'O, bydden i wrth fy modd â pharot,' meddai Mrs Cyfaill.

'O, bydden i wrth fy modd â pharot,' ailadroddodd Linda.

'Ha ha, mae hi'n dweud beth dwi'n ei ddweud,' chwarddodd Mrs Cyfaill.

'Ha ha, mae hi'n dweud beth dwi'n ei ddweud,' meddai Linda.

'Mae hynny'n wych! Gad i mi gael tro!' meddai Mr Cyfaill.

'Mae hynny'n wych! Gad i mi gael tro!' meddai Linda.

'Arhoswch eiliad!' meddai Alun. 'Felly ti'n fodlon gwneud y smwsho?'

'Reidio a phwsho?' meddai Linda.

'Y *smwsho,*' ailadroddodd Alun.

'Y brwsho?' ebychodd Linda.

'Y smwsho,' ailadroddodd Alun yn grac.

'Y swsio?' gofynnodd Linda.

'Cau dy big!' sgrechiodd Alun.

'Ond mae'n ddoniol!' meddai Mrs Cyfaill.

'Mae'n ddoniol!' ailadroddodd Linda.

'Dewch ymlaen, gadewch i ni smwsho'r bont! Dwi wir eisiau ennill y parot 'na,' meddai Mrs Cyfaill yn llawn cyffro.

Felly daeth y Cyfeillion a Dai Pawb a'r lleill i gyd at ei gilydd i lusgo'r bont lan ochr y llosgfynydd am fod ar bob un eisiau ennill Linda'r parot.

Nawr, dwn i ddim pa mor aml ry'ch chi wedi ceisio atal grŵp o fôr-ladron rhag llusgo pont lan llosgfynydd er mwyn ei thoddi yn belen canon – ond mae'n siŵr eich bod chi'n gwybod nad yw'n beth hawdd. Ceisiodd Wil eu hatal, ceisiodd resymu â nhw, ceisiodd ddadlau â nhw – ond roedden nhw'n gwrthod gwrando. Roedden nhw wir yn dyheu am gael ennill y parot.

Safodd Wil o'u blaenau mor benderfynol â pheiriant golchi, a gwaeddodd

'STOP!'

mewn llais difrifol iawn â'i aeliau'n gwgu – ond cyn gynted ag y gwnaeth hynny, roedd Alun wrth ei ochr.

'O na! Dy'n ni ddim am weld dim o'r nonsens achub-y-byd welon ni'r tro diwethaf. Bydda i'n dy rwystro di,' mynnodd Alun. 'Wedi meddwl, dwi'n mynd i dy **ynysu** di.'

'Fy ynysu i? Ond sut? Ac os byddwch chi'n fy ynysu i, yn fy ngadael ar fy mhen fy hun, fydd neb i feirniadu'r gystadleuaeth er mwyn ennill y parot ...'

'Dwi'n mynd i dy ollwng di ar lwmpyn o iâ a byddi di ar dy ben dy hun yno – wedi dy ynysu, dim ond ti yn erbyn yr anifeiliaid gwyllt,

ac yn y diwedd, os na chei di dy fwyta, mi fyddi di'n suddo i waelod y môr rhewllyd!' meddai Alun, yn falch iawn ohono'i hun. **'Ac yna byddi di wedi marw.**

Mari-mari-marw. Marwedi marwedi marw marw marw,'

meddai, yn fwy balch fyth.

Dechreuodd bochau Wil losgi ac roedd ei glustiau fel pe baen nhw wedi mynd yn niwlog a cheisiodd ei bengliniau fynd y ffordd anghywir eto.

Doedd arno ddim eisiau eistedd ar lwmpyn o iâ. Roedd arno ofn pysgod yn sugno bysedd ei draed. Ac roedd ofn arno y byddai dyn eira ffiaidd yn ei fwyta. Neu hyd yn oed ddyn eira hyfryd yn ei fwyta. Mewn gwirionedd, roedd cael ei fwyta gan unrhyw ddyn eira yn syniad brawychus.

Beth oedd e'n mynd i'w wneud? Roedd am wau blanced fawr a chuddio oddi tani am amser hir iawn.

Ond doedd ganddo ddim amser i wau. A doedd ganddo ddim amser i guddio. Felly, yn hytrach, dechreuodd boeni'n arw ac yna meddyliodd yn ddwys a meddyliodd mor galed bod yn rhaid i'w ymennydd orffwys am ychydig. Ac yna cafodd syniad.

Aeth Wil at ei gist drysor a chydiodd yn y wialen bysgota – i ddal y pysgod cyn iddyn nhw sugno bysedd ei draed, a gafaelodd yn y bat criced, er mwyn taro unrhyw ddynion eira ar eu pennau. Yna edrychodd ar ei daflen **'Sut i Stopio Poeni'**. Yn ôl **rhif saith**, *'Er mwyn eich helpu i ymdopi â'r hyn ry'ch chi'n poeni amdano gallwch ei droi'n gân.'*

'Reit, gollwng y daflen wirion 'na, a dere gyda fi!' mynnodd Alun, gan wthio Wil ar ddarn o iâ a'i glymu mewn cadwyn â chlo mawr, i fod yn saff. Wrth iddo wneud hynny, canodd Wil ei gân.

Dwi ddim am fod
Yn sownd wrth lawr iâ.
Mae'n oer dros ben.
Dyw e ddim yn dda.

Un peth arall
Sy'n oeri fy ngwaed:
Dwi ddim am i bysgod
Sugno fy nhraed.

Gobethio na fydda i'n
Mynd ar wib.
Dwi ddim yn hoffi
Bod yn wlyb.

A thra 'mod i
Yn sownd i'r llawr,
Dwi ddim eisiau cwrdd
Â dyn eira mawr.

Dydy fy meddwl i
Ddim yn gul,
Ond dwi ddim am fod
Yn ginio dydd Sul.

Felly cyn iddo fwyta
Blewyn neu fys,
Mae angen help
Arna i ar frys.

Ond ddaeth neb i'w helpu. Ac roedd y darn o iâ, efo Wil wedi'i glymu arno, yn mynd yn bellach ac yn bellach oddi wrth y criw.

Gallai weld Alun, yn mynd yn llai ac yn llai.

Gallai weld Dot, yn chwifio'i rhaw, yn mynd yn llai ac yn llai nes roedd Dot yn ddim ond dot gyda 'd' fach).

A fyddai'n gweld Dot byth eto? A fyddai'n gweld Stiwart byth eto? A fyddai'n gweld y byd byth eto? Sylweddolodd Wil fod yn rhaid i rywun wneud rhywbeth ac mai FE oedd y rhywun hwnnw a bod yn rhaid gwneud y peth hwnnw

NAWR.

Cydiodd Wil yn y wialen bysgota a'i fflicio mor galed â phosib. Hedfanodd y bachyn tuag at y tir, tuag at Alun, tuag at wregys Alun – lle roedd yr allweddi.

Bachodd yr allweddi a thynnu'r wialen 'nôl. Agorodd y clo gyda nhw, ac roedd ei ddwylo'n rhydd.

Cydiodd Wil yn y bat criced a'i ddefnyddio i badlo 'nôl i'r lan. Padlodd a phadlodd a phadlodd nes ei fod yn teimlo bod ei ysgwyddau ar dân. Cyn gynted ag yr oedd yn agos at y tir, gyda'i holl nerth, gwnaeth un naid anferthol tuag ato. Gallai weld y môr-ladron yn agosáu at dop y llosgfynydd, a sgrialodd ar eu holau mor gyflym â'r gwynt. Sgrialodd a dringodd a llithrodd a sgathrodd, ac roedd bron â chyrraedd y top pan glywodd sŵn uchel yn taranu'n sydyn.

Cododd ei ben a gweld y belen ganon fwyaf erioed yn rholio i lawr ochr y llosgfynydd tuag ato. Roedd yn mynd yn fwy ac yn fwy, ac roedd yn dod yn syth tuag ato ...

Neidiodd Wil o'r ffordd a glanio ar ei hyd ar lawr, a gwyliodd wrth i'r belen rolio i lawr gweddill y llosgfynydd a glanio ar y llong, nesaf at y llong danfor oedd wedi cael ei throi'n ganon. Roedd e'n rhy hwyr. Roedd Alun wedi creu'r belen ganon fwyaf yn y byd, a nawr roedd e'n mynd i'w thanio o'r canon mwyaf yn y byd.

O wel, roedd Wil wedi rhoi cynnig go dda arni, ond roedd y byd i gyd yn mynd i suddo unrhyw eiliad.

Sori am hynny.

Felly dyma ...

Y DIWEDD

Da bo.

Tym ti tym.

Unrhyw funud nawr.

Paratowch amdani.

Mae'r suddo ar fin dechrau.

Felly dyma ni.

Ta ta tan toc.

A-hem.

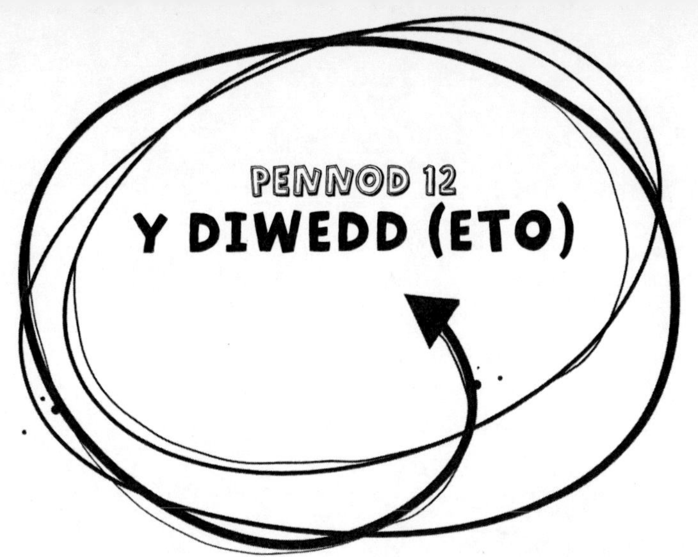

PENNOD 12
Y DIWEDD (ETO)

Aros eiliad. Doedd Wil ddim am roi'r ffidil yn y to mor hawdd â hynny.

Rhuthrodd yn ôl i'r llong, ac aeth yn syth at ei gist drysor. Cododd ei daflen 'Sut i Stopio Poeni'. Ond wrth iddo droi at rif wyth, chwalodd y daflen yn gannoedd o ddarnau bychain yn ei ddwylo wrth i ddwsin o bryfed pren ei bwyta i frecwast.

'O na!' ebychodd Wil.

Yna, o flaen ei lygaid, chwalwyd y gist drysor yn chwilfriw wrth i gannoedd o bryfed pren fwyta honno i'w brecwast.

'Na, na, na, na!' llefodd Wil.

Roedd ei daflen wedi mynd. Roedd ei drysor wedi mynd. Roedd Wil yn llawn arswyd. Beth oedd e'n mynd i'w wneud nawr? Doedd ganddo ddim i'w helpu. Doedd ganddo ddim cynllun. Yn fwy na dim, doedd ganddo ddim amser i boeni. A doedd dim yn apelio'n fwy na phoeni'n arw. Ond allai e ddim. Dim ond Wil oedd ar ôl. Wil yn erbyn Alun. Roedd dyfodol y byd i gyd yn dibynnu arno fe. Edrychodd ar Alun, a oedd newydd agor blwch matsys yn barod i danio'r ffiws.

Rhuthrodd Wil tuag at Alun, a chipio'r blwch matsys. Rhedodd tuag at raffau'r hwylbren, ac er

bod ofn uchder arno, dringodd. Dringodd fel mwnci i fyny'r mast â'i gynffon ar dân, dringodd fel pry copyn â'i ben-ôl ar dân, dringodd a dringodd a dringodd nes bod ei freichiau'n brifo a'i bengliniau'n sgrechian a'i galon yn badwmpio yn ei glustiau.

Edrychodd Wil i lawr a gwelodd Alun yn edrych lan arno. Roedd e mor bell nes ei fod yn edrych fel morgrugyn bach crac.

Roedd Alun yn gweiddi ac yn ysgwyd ei ddwrn ar Wil.

Yna gafaelodd Alun yn rhywbeth – o bell, roedd yn edrych fel ffon goctel fach. Chwifiodd y morgrugyn bach crac y ffon goctel tuag at y rhaffau.

Yn sydyn, teimlodd Wil y rhaffau'n ysgwyd ac yn bownsio ac yna ...

CWYMPODD.

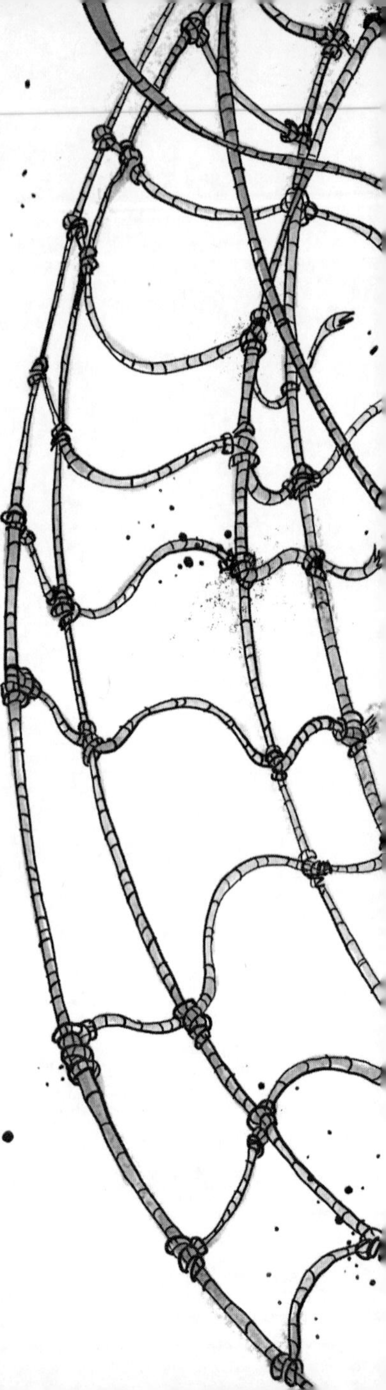

Tua tair metr.

Roedd yn hongian o'r rhaffau.

Edrychodd i lawr eto. Gallai weld Alun yn gliriach nawr. Roedd yn gafael mewn cleddyf enfawr. Chwifiodd hi eto at y rhaffau lle roedd Wil yn hongian, a dechrau eu torri.

SWISH!

Fesul un, aeth y rhaffau'n fwy tenau, dechreuon nhw ysgwyd a bownsio eto, a theimlodd Wil ei hun yn ...

Tua thair neu bum metr arall.

'Na!' bloeddiodd Wil, gan afael ag un llaw. 'Stopiwch!'

Ond wnaeth Alun ddim stopio. Chwifiodd ei gleddyf a tharo'r rhaffau am y trydydd tro.

SWISH!

A theimlodd Wil ei hun yn cwympo, cwympo, cwympo nes ...

THYMP!

Glaniodd ar y dec, mewn pentwr o flawd llif – sef y cyfan oedd yn weddill o'i daflen **'Sut i Stopio Poeni'** a'i gist drysor.

Neidiodd Alun ar ben Wil a cheisio cipio'r matsys. Rholiodd ac ymladdodd a brwydrodd a sgarmesodd a stryffaglodd Wil ac Alun.

Bwriodd a chiciodd a chnoiodd a thynnodd a gwthiodd a chwffiodd Wil ac Alun, ac o'r diwedd, gwasgodd Alun wyneb Wil i mewn i lwch ei daflen 'Sut i Stopio Poeni' a chipio'r matsys.

Stompiodd Alun yn ôl at y canon a thanio'r fatsien.

'A nawr,' cyhoeddodd Alun, **'dwi'n mynd i suddo'r byd cyfan, gan mai fi yw'r dyn gwaethaf, gwaethaf, gwigli gwogli gwaethaf yn y byd-i-wyd i gyd yn grwn.'**

A thaniodd Alun y ffiws.

Gwyliodd Wil.
Gwyliodd Dot.
Gwyliodd Stiwart.
Gwyliodd Wendi.
Gwyliodd Capten Beili.
Gwyliodd Kevin Phillips.
Gwyliodd Marc III.
Gwyliodd y môr-ladron.
Gwyliodd y Cyfeillion.
Gwyliodd Dai Pawb.
Gwyliodd pawb.
A phob un yn dal ei anadl.

Llosgodd y ffiws yn is ac yn is.

Cododd Wil y cylch rwber o weddillion ei gist drysor a'i osod ar Dot. Yna gosododd Stiwart a Wendi ar ben Dot.

Llosgodd y ffiws yn is ac yn is.

Golchodd Wil weddillion ei daflen oddi ar ei wyneb.

Ac yn sydyn cafodd Wil syniad.

'Stiwart! Gofynna i Wendi ddweud wrth ei holl ffrindiau am fwyta'r llong i frecwast. Nawr!'

Trodd Stiwart a sibrwd rhywbeth wrth Wendi. Yna chwibanodd Wendi ar dop ei llais. Fel ti'n gwybod, mae Wil yn arbenigwr ar chwibanu, ac roedd hwn yn un o'r chwibanau gorau iddo'i glywed erioed. Na, do'n i ddim yn gwybod bod pryfed pren yn gallu chwibanu chwaith, ond efallai nad oedd angen iddyn nhw chwibanu cyn hyn.

Yn sydyn, roedd sŵn crensian uchel i'w glywed wrth i filiynau o gegau bach bach ddechrau cnoi drwy'r llong.

Llosgodd y ffiws yn is ac yn is.

'Hwyl fawr, fyd!' gwaeddodd Alun. Ac yna oedodd. 'Beth yw'r sŵn crensian rhyfedd yna?'

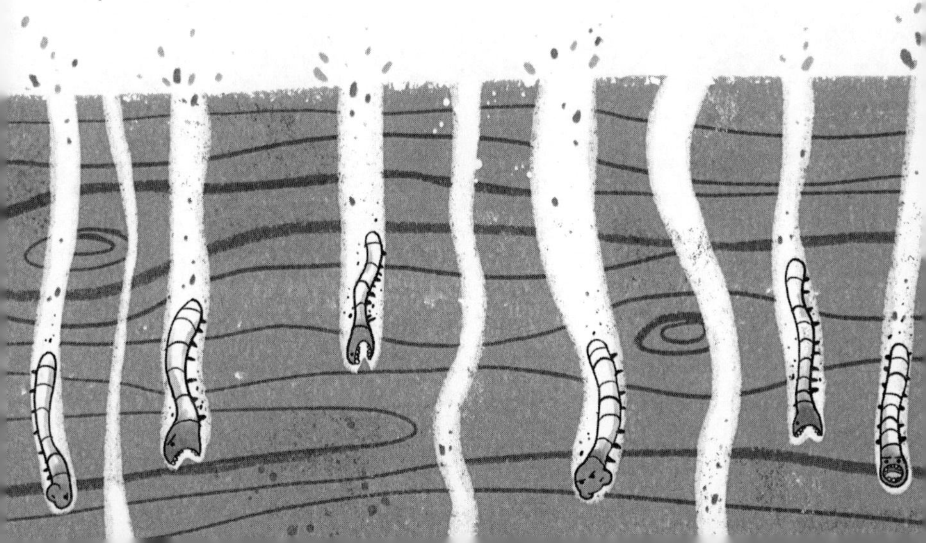

A diflannodd y llong gyfan o dan eu traed, gan gynnwys y canon. A'r belen ganon hefyd.

Wwwwsh!

Glaniodd pawb yn y môr gyda sblash aruthrol.

FfShhhhht!

Diffoddwyd ffiws y canon, a rholiodd y belen ganon enfawr yn araf i waelod y môr fel carreg fawr gron drom.

'Hwrê!' gwaeddodd pawb.

'Fedra i ddim nofiobyblyblybl!' gwaeddodd Alun.

'Bwced a rhaw!' meddai Dot, yn hapus yn ei chylch rwber wrth iddi wylio ei hoff fwced a rhaw yn arnofio tuag ati. Cipiodd y rhaw a'i chnoi yn llawen.

Yn y cyfamser, cydiodd Kevin Phillips yn Alun wrth ei goler a nofio at ynys gyfagos.

Dilynodd pawb arall, gan gynnwys y brain. Yna dringon nhw o'r dŵr i'r ynys, a neidio lan a lawr a chofleidio'i gilydd a dawnsio a sgipio.

'Hwrê i Wil a Stiwart a Wendi!' gwaeddodd pawb.

'Dwi'n enwi'r ynys hon yn Alunwlad Fawr,' meddai Alun, ond doedd neb yn talu sylw.

'Ry'n ni eisiau ein harian yn ôl,' meddai Mr a Mrs Cyfailll.

'Ry'ch chi eisiau tarian pen-ôl?' meddai Linda.

Ac yna cafodd Dai Pawb a *phawb* bicnic mawr a chwaraeon nhw tidliwincs – hynny yw, tidliwincs go iawn, nid, ti'n gwybod, **tidliwincs.**

Ac wedi hynny, aeth Wil a Dot a Stiwart a Wendi adref, yn flinedig ac yn wlyb ond yn hapus dros ben.

Doedd dim trysor ganddyn nhw, na phicnic, na'r sliperi, na thaflen **'Sut i Stopio Poeni'** werthfawr Wil hyd yn oed, ond roedd ganddyn nhw ei gilydd. A beth bynnag, hyd yn oed heb ei daflen, doedd Wil ddim yn poeni cymaint bellach.

Y DIWEDD

(Go iawn y tro 'ma.)

Ie? Alla i dy helpu?

Pam wyt ti'n dal yma?

Y Diwedd,
ddywedais i!
Cer o 'ma!

Stopia ddarllen ar unwaith ...

Hefyd yn y gyfres

Ar gael nawr